Le français ordinaire

CHEZ LE MÊME ÉDITEUR

Collection U, série « Linguistique »

A. ABEILLÉ, *Les Nouvelles syntaxes*, 1993.
S. AUROUX, S. DELESALLE et H. MESCHONNIC, *Histoire et grammaire du sens*, 1996.
G. AUDISIO, I. BONNOT-RAMBAUD, *Lire le français d'hier*, 1994.
A. BORILLO, F. SOUBLIN, J. GARDES-TAMINE, *Exercices de syntaxe transformationnelle du français*, 1985.
P. COIRIER, D. GAONAC'H, J.-M. PASSERAULT, *Psycholinguistique textuelle. Approche cognitive de la compréhension et de la production des textes*, 1996.
A. DELAVEAU, F. KERLEROUX, *Problèmes et exercices de syntaxe française*, 1985.
F. GADET, *Le Français ordinaire*, 1989, rééd. 1997.
M.N. GARY-PRIEUR, *De la grammaire à la linguistique*, 1989.
H. HUOT, *Enseignement du français et linguistique*, 1981.
H. HUOT (sous la dir. de), *La Grammaire française entre comparatisme et structuralisme*, 1991.
C. KERBRAT-ORECCHIONI, *Les Interactions verbales* (3 tomes : 1990, 1992, 1994).
C. KERBRAT-ORECCHIONI, *L'Implicite*, 1991.
C. KERBRAT-ORECCHIONI, *L'Énonciation*, 1993.
G. KLEIBER, *Nominales*, 1994.
Ch. MARCHELLO-NIZIA, *L'Évolution du français*, 1995.
A. MARTINET, *Syntaxe générale*, 1985.
A. MARTINET, *Fonction et dynamique des langues*, 1989.
J. MOESCHLER, *Théorie pragmatique et pragmatique conversationnelle*, 1996.
C. MULLER, *La Subordination en français*, 1996.
C. NIQUE, *Grammaire générative : hypothèses et argumentation*, 1978.
C. NIQUE, *Initiation méthodique à la grammaire générative*, 1993.
A. REY, *Le Lexique. Images et modèles*, 1977.
Ch. TOURATIER, *Le Système verbal français*, 1996.

Collection U, série « Lettres »

F. ARGOD-DUTARD, *Éléments de phonétique appliquée*, 1996.
G. JOLY, *Précis de phonétique historique du français*, 1995.
J. MOESCHLER, *La Pragmatique conversationnelle*, 1996.
A. QUÉFFELEC, R. BELLON, *Linguistique médiévale. L'épreuve d'ancien français aux concours*, 1995.
É. RAVOUX RALLO, *Méthodes de critique littéraire*, 1993.

Collection « Cursus », série « Lettres »

A. MARTINET, *Éléments de linguistique générale*, 4e éd., 1996.
J. GARDES-TAMINE, *La Grammaire*. Tome 1 : *Phonologie, morphologie, lexicologie*, 1993.
J. GARDES-TAMINE, *La Stylistique*, 1992.
J. GARDES-TAMINE, M.-C. HUBERT, *Dictionnaire de critique littéraire*, 2e éd., 1996.
P. GUELPA, *La Linguistique*, T.D., 1997.
J.-F. JEANDILLOU, *L'Analyse textuelle*, 1996.
J. MAZALEYRAT, *Éléments de métrique française*, 8e éd., 1995.
A. NIKLAS-SALMINEN, *La Lexicologie*, 1996.
J. MOESCHLER, *Introduction à la linguistique contemporaine*, 1997.
A. PREISS, *La Dissertation littéraire*, 1990.
A. PREISS, J.-P. AUBRIT, *L'Explication littéraire et le commentaire composé*, 1994.

Françoise Gadet

Le français ordinaire

2e édition
revue et augmentée

ARMAND COLIN

ISBN 2-200-01615-8

Masson & Armand Colin Éditeurs — 34 bis, rue de l'Université — 75007 Paris

AVANT-PROPOS

« Pourquoi le français parlé est-il si peu étudié ? »

C'est par cette question, un peu provocatrice pour les linguistes qui savent que les langues sont avant tout parlées, que Culioli[1] avait ouvert sa communication dans un colloque sur le français parlé, il y a de cela quelques années. S'il est un domaine en effet qui n'a pas fait l'objet d'études systématiques, c'est bien l'analyse linguistique des performances des locuteurs, et des variations qui les affectent. Des performances avant tout parlées, mais pas seulement.

Ce domaine ne s'identifie pas entièrement à la sociolinguistique, bien que ce soit cette discipline qui ait tenté de le prendre en compte. Mais son point de vue, qui tente d'expliquer les variations dans le discours par la position sociale, a beaucoup restreint le champ d'études. Nous montrerons par exemple que tout un plan d'analyse linguistique échappe à l'explication par le social.

Le caractère marginal de ce champ se mesure en particulier dans le flottement terminologique lorsque l'on veut qualifier les faits de langue concernés.

Le français ordinaire... Ce n'est pas là un terme habituel en linguistique. Car qui a conscience d'être, dans sa façon de parler, ordinaire, ou bien d'être autre chose que toujours ordinaire ?

« Français ordinaire » doit être compris par référence à ce à quoi on peut l'opposer. Ce n'est bien sûr pas le français soutenu, ni recherché, ni littéraire, ni normé. Mais ce n'est pas non plus (pas seulement) le français oral ou parlé, puisqu'il peut s'écrire. Ce n'est pas seulement le français populaire, ou du moins c'est ce dernier dans la mesure où il manifeste des traits communs avec d'autres usages non standard du français. C'est donc surtout le français familier, celui dont chacun est porteur dans son fonctionnement quotidien, dans le minimum de surveillance sociale : la langue de tous les jours. Nous voulons montrer ici que cette langue, qui n'est pas définissable comme un ensemble puisqu'elle est différente pour chacun, peut faire l'objet d'une réflexion linguistique.

Le français ordinaire a généralement été bien accueilli depuis sa sortie en 1989. Pourtant, on m'a reproché de favoriser des références déjà un peu anciennes. J'ai donc, dans cette nouvelle édition, ajouté un grand nombre de références récentes, puisque cet ouvrage aborde des sujets qui sont beaucoup travaillés ces temps-ci, peut-être spécialement sur le français où, il est vrai, un retard considérable avait été pris.

Je n'ai pourtant supprimé aucune des références anciennes, et je précise que ce n'est pas par goût pour le passé que je prends appui sur les travaux de Bauche, Vendryès, Frei ou Martinon, mais parce que le début du siècle (jusque vers les années 30) a constitué une période de considérable mouvement de la réflexion sur la langue autre que conventionnellement homogène, centrée sur l'écrit et semblable chez tous — sans doute beaucoup plus que de nos jours.

1. Culioli (1983).

Alphabet phonétique international

Voyelles

[i]-[li] lit
[e]-[de] dé
[ɛ]-[bɛ] baie
[a]-[pat] patte
[ɑ]-[pɑt] pâte
[ɔ]-[pɔr] porc
[o]-[o] pot
[u]-[bu] boue
[y]-[ly] lu
[ø]-[fø] feu
[œ]-[bœf] bœuf
[ə]-[dəɔr] dehors
[ɛ̃]-[pɛ̃] pain
[œ̃]-[brœ̃] brun
[ɔ̃]-[pɔ̃] pont
[ɑ̃]-[sɑ̃] sang

Semi-voyelles

[j]-[pjɔ̃] pion
[w]-[wi] oui
[ɥ]-[ɥit] huit

Consonnes

[p]-[pu] pou
[b]-[ba] bas
[t]-[tɔ̃] ton
[d]-[dɔ̃] don
[k]-[ku] cou
[g]-[gɛ] gai
[f]-[fa] fa
[v]-[vy] vu
[s]-[sa] sa
[z]-[azil] asile
[ʃ]-[ʃe] chez
[ʒ]-[ʒɔ̃] jonc
[m]-[ma] ma
[n]-[nɔ̃] non
[ñ]-[pɛñ] peigne
[ŋ]-[riŋ] ring
[l]-[ly] lu
[r]-[ra] rat

Première partie

PROBLÈMES GÉNÉRAUX CONCERNANT LA VARIATION

CHAPITRE 1

QU'EST-CE QUE LA VARIATION ?

Les différents locuteurs d'une même communauté linguistique n'ont pas tous, ni toujours, exactement les mêmes usages : les langues manifestent de la variation et du changement, et le constat de l'hétérogène est coextensif à la notion de langue[1].

Mais « variation » n'implique pas « aléatoire » : il y a de la régularité et du système dans la variation. La linguistique peut avoir à traiter de la variation comme de l'invariant : c'est une question de point de vue. La discipline qui aborde les langues du point de vue de leur instabilité et de leur hétérogénéité interne est la sociolinguistique. Cet ouvrage est, sur le français courant et sur le plan grammatical, une introduction à la sociolinguistique.

1. La notion de communauté linguistique

Ce n'est donc pas sur une introuvable homogénéité des productions, et sur l'absence de diversité, que l'on cherchera à asseoir la notion de « communauté linguistique ».

Il est vrai que tous les phénomènes, et tous les niveaux linguistiques, ne sont pas au même titre susceptibles de variation ; il y a de l'invariant dans la structure, ce dont tente de rendre compte le concept de « langue »[2] . Il faut donc établir comment la variation n'est pas incompatible avec les notions de langue et de communauté.

1.1. Communauté et variation

Les facteurs extralinguistiques auxquels on peut référer la variation sont nombreux, quoique d'importance variée : elle peut être régionale, sociale, stylistique (ou situationnelle), temporelle…

a) Par *variation régionale* (ou variation diatopique[3]), nous n'entendrons pas les langues, dialectes et patois encore plus ou moins en usage sur le territoire français, dont l'étude fait l'objet de la dialectologie. Nous entendons, pour les objectifs de ce livre, les usages régionaux du français, en France et hors de France, les particularismes régionaux

1. Nous prenons ici « langue » dans son sens le plus large, sans en faire un concept à opposer à parole ou à discours. Sans que, selon nous, ceci doive s'interpréter comme une prise de position antisaussurienne, ou antilinguistique théorique.
2. Ou tout concept établi selon les mêmes exigences.
3. Cette terminologie en *dia-*, qui est surtout connue par « diachronie », trouve son origine dans les années cinquante, chez Flydal (1952) pour le français, qui parle d'« architecture de langue » et s'interroge sur la cohabitation de formes hétérogènes chez le sujet parlant, avec l'expression « débris de structure ».

ou « régionalismes », qui n'existent en tant que tels que lorsqu'une forme manque à être utilisée sur toute la zone d'extension du français. Notre but ne sera jamais leur étude systématique, mais il nous arrivera d'y faire référence. Les régionalismes sont pour la plupart d'ordre lexical (selon Tuaillon[4], 95 % des régionalismes sont d'ordre lexical, et 5 % seulement d'ordre grammatical), mais en donnant ici quelques exemples rapides, nous privilégierons les traits phonologiques et syntaxiques.

Exemples de traits régionaux de prononciation : la prononciation des e muets en finale dans la partie méridionale de la France, la présence d'affriquées en français canadien (*il dit* prononcé [idzi]), la fermeture du [ɛ] en syllabe fermée (*père* prononcé [per]) dans l'accent pied-noir, l'affaiblissement de la distinction sourde / sonore en Alsace...

Exemples de régionalismes grammaticaux :

(1) le Beaujolais, j'y aime (régions de Lyon, Chambéry, Saint-Étienne, Grenoble, sud de la Bourgogne), avec un pronom *y* complément d'objet direct (COD) inanimé ;

(2) je l'ai eu fait y a bien longtemps (Centre), avec un passé surcomposé en phrase indépendante, qui marque l'antériorité par rapport à un passé ;

(3) j'ai personne vu (Savoie, Jura, Alsace, Lorraine), forme qui étend le domaine d'application du schéma de *j'ai rien vu*.

Nous nous limiterons pour l'essentiel à un seul usage régional, l'usage parisien. Nous ne parlerons pas non plus des interférences entre langues ou entre langue et dialecte[5].

b) La *variation sociale* (ou variation diastratique) concerne le domaine de variation qui peut être affecté par la structuration sociale et démographique : un ouvrier ne parle pas comme un paysan, qui lui-même ne s'exprime pas comme un maître des requêtes au Conseil d'État. Cette variation découpe donc, dans une même communauté, la société en fonction des classes sociales :

(4) c'est laquelle rue qu'i faut tourner ?

(5) l'eût-il su, je ne suis pas sûr qu'il en eût tenu compte

Différences de classes sociales : cette expression n'est pas assez précise, car la relation entre les deux ordres ne saurait s'établir en une correspondance terme à terme, sous le slogan utopique : « une classe, un usage / un usage, une classe ». Aussi, quand Labov[6] a tenté de définir cet axe de variation, a-t-il proposé un indicateur qui combinait niveau d'études, revenu et profession. L'avantage de cette solution est de permettre de rendre compte d'un certain *continuum* de la variation, sans opposer d'hypothétiques « langues de classe ». Mais elle comporte les défauts correspondants : en abordant la relation entre champ social et champ linguistique sous l'angle de la covariation, elle tend à présenter une conception hiérarchique et harmonieuse de la société, où conflits, contradictions et affrontements sont effacés. En conséquence, il devient difficile de saisir que les conflits s'inscrivent également dans l'usage de la langue, et tout aussi difficile de prendre en compte des facteurs subtils comme l'attitude face à la prise de parole.

---

4. L'étude des régionalismes du français, prise entre l'étude des langues régionales et celle du français standard, est peu développée. Voir les classiques Gilliéron & Edmont pour l'ensemble du territoire, et Brun (1931) pour le français de Marseille ; pour une période plus récente, Lerond (1973), Houdebine (1977), Tuaillon (1983 et 1988) et Bilger (1988) ; et, pour le français hors de France, Corbeil (1984) et Poirier (1987) pour le Canada, Lafage (1993 et 1995) pour l'Afrique, Robillard & Beniamino (1993) pour un tableau d'ensemble. Des réflexions générales sur les français régionaux dans Straka (1977), Manessy (1985) et Chaudenson (1993).

5. Voir par exemple Cadiot (1987), qui étudie des cas d'interférence entre français et dialecte mosellan.

6. Voir l'ensemble de son ouvrage de 1972, trad. fr. 1976, que nous citerons désormais selon la version française.

Bourdieu a tenté d'échapper à ce type de représentation covariationniste en proposant la notion de « marché linguistique »[7], évaluation subjective, par les locuteurs d'une communauté, de la position occupée par un locuteur dans une hiérarchie. De nombreux sociolinguistes ont tenté de tirer profit de cette notion, surtout des Québécois.

c) La variation s'organise aussi selon les découpages démographiques. La *variation sexuelle* n'a pas, dans nos sociétés, d'effets vraiment marqués. Alors qu'elle est relevée en ethnolinguistique comme un trait qui peut gouverner l'usage phonologique ou grammatical de certaines formes[8], on ne saurait traiter de la même façon ce qui se passe pour le français. On peut signaler des différences de comportement, par exemple sur le plan lexical ou sur le plan discursif, et des différences d'attitude[9] vis-à-vis de l'usage de la langue : on a pu montrer que, selon la nature des variables, c'étaient les hommes ou les femmes qui étaient les plus conservateurs.

La *variation en fonction de l'âge* est un fait général : on peut la rapporter à la variation diachronique, en tant qu'elle manifeste un changement en cours, offrant la possibilité d'étudier la société « en temps apparent » (une variation entre un enfant de dix ans et un vieillard de quatre-vingts peut être rapportée à une variation sur soixante-dix ans)[10].

Certaines sociétés connaissent encore une *variation ethnique*, fonction de la race du locuteur. Mais elle ne fait bien souvent que redoubler la variation sociale.

De fait, tous les traits qui divisent une société et peuvent être porteurs d'oppositions et de conflits sont susceptibles de constituer des axes de variation.

d) La *variation stylistique*[11] ou *situationnelle* (ou variation diaphasique) ne clive pas la société, mais le locuteur : il n'y a pas de locuteur à style unique. Contrairement à l'idée reçue selon laquelle seules les couches cultivées seraient capables de maniements variés modulés selon les situations[12], tous les locuteurs disposent de plusieurs styles en liaison avec la situation dans laquelle ils se trouvent, l'interlocuteur auquel ils s'adressent, le sujet dont ils parlent, les enjeux sociaux qu'ils mettent dans l'échange…

Les manifestations linguistiques de la variation relevant des ordres diastratique et diaphasique sont en grande partie les mêmes, ce qui permet de faire des hypothèses sur l'origine sociale de la constitution d'une compétence diaphasique (voir Bell, 1984). Tel

---

7. La notion de « marché linguistique » est systématisée de façon claire dans son ouvrage de 1982. Le transfert d'une notion économique au domaine de la langue n'est pas sans poser des problèmes au linguiste. Voir les critiques apportées par Kerleroux (1984 et 1985). De plus, en utilisant cette notion comme un indice, on court le risque de ne faire qu'ajouter un composant de plus à l'aspect social de la covariation.

8. Un classique reste l'étude de Sapir sur les Yanas : certaines formes, lexicales et grammaticales, sont dévolues aux femmes entre elles ou aux hommes s'adressant aux femmes, alors que d'autres restent l'apanage des hommes. Voir Edward Sapir, « Male and Female Forms of Speech in Yana », in *Selected Writings of Edward Sapir in Language, Culture and Personality*, Berkeley, 1949.

9. Voir par exemple Houdebine (1979b), pour une étude de ce point de vue de quelques variables phonologiques. Gauchat (1905) établit, lui aussi sur des variables phonologiques, que les systèmes des femmes du village de Charmey en Suisse ont une génération d'avance sur ceux des hommes.

10. Avant Labov, Gauchat (1905) a inauguré ce mode de raisonnement ; avec un certain succès, puisque, trente ans plus tard, il a pu être confirmé que trois changements en cours observés sur quatre se poursuivaient dans la même direction.

11. L'emploi de « stylistique » dans ce sens, emprunté à la sociolinguistique américaine, est bien différent de l'usage français en critique littéraire.

12. Un exemple parmi bien d'autres : « Les personnes appartenant aux couches les moins cultivées n'ont, en général, qu'une façon de s'exprimer, qu'elles conservent dans toutes les situations où il leur arrive de se trouver » (Wartburg et Zumthor, 1958). Des observations systématiques viennent sans difficulté à bout de cette proposition.

n'est pas le cas pour l'exemple (4), « populaire » mais non « familier », mais ce l'est pour (6), qui constitue à la fois un usage populaire et un usage familier :

(6) i veut quoi ?

e) La *variation temporelle* ou *diachronique* (ou changement) n'a pas le même statut que les autres axes, pour nous, linguistes de la fin du XXe siècle, qui connaissons la distinction saussurienne entre « synchronie » et « diachronie ». La variation dans le cadre de la diachronie, c'est le changement. Il n'est pas de langue qui ne change, de façon permanente, selon les époques imperceptiblement ou plus brutalement ; et cette réalité du changement continu n'est pas à opposer à ce qui est en jeu dans le concept saussurien de synchronie.

Les linguistes se sont beaucoup interrogés sur les relations entre variation et changement : les deux répondent aux mêmes schémas linguistiques et extralinguistiques, car un changement en cours dans une communauté se manifeste toujours à travers la variation[13].

Nous ne parlerons à peu près pas ici de changement, ni d'histoire de la langue. Nous nous contenterons de citer, pour les opposer par leurs dates de production, des extraits de deux textes qui sont considérés, à des titres divers, comme des actes fondateurs du français. On voit que le premier, de l'an 842, reste proche du latin. Le second, de 1539, est en revanche déjà presque du français moderne : sept siècles entre les deux, une trentaine de générations...[14]

(7) Pro deo amur et pro christian poblo et nostro commun salvament, d'ist di en avant in quant Deus savir et podir me dunat, si salvarai eo cist meon fradre karlo... (début des *Serments de Strasbourg*, an 842).

(8) Nous voulons d'ores en avant que tous arrests, ensemble toutes autres procedures, soient de nos cours souveraines et autres subalternes et inférieures, soient de registres, enquestes, contrats, commissions, sentences, testaments, et autres quelconques actes et exploicts de justice [...] soient prononcez, enregistrez et delivrez aux parties en langaige maternel françois et non autrement (ordonnance de Villers-Cotterêts, an 1539).

f) Reste un type de variation, irréductible à ceux que nous venons d'énumérer, hétérogène radical installé au cœur même du système : la *variation inhérente*. Toutes choses égales par ailleurs (un même locuteur, dans une même situation, lors d'une même prise de parole), un même segment dans un même contexte linguistique peut exhiber, parfois dans un laps de temps très bref, différentes réalisations :

(9) le chef de gare pour le centre de surveillance / je répète / le chef de gare pour le cent(re) de surveillance ([sɑ̃ndəsyrvejɑ̃s])

Le terme même de « variation inhérente » suffit à montrer que l'on ne sait référer cette variation à aucun facteur extralinguistique en particulier.

---

13. Lennig (1979) résume ainsi les questions qui se posent : « Pourquoi un changement donné a-t-il lieu à une certaine époque dans l'histoire d'une langue et non pas à une autre époque ? Quels sont les rôles respectifs de la structure linguistique et de la structure sociale dans le changement que subit une langue ? Est-ce que le changement linguistique représente une évolution, une amélioration du système de communication ou est-ce que la langue change tout simplement sans faire de progrès ? »
Pour une présentation générale de la problématique, voir aussi Thibault (1991).

14. Naturellement, nous avons recours à des textes écrits. Ceci ne peut que conduire à des questions sur la nature de ce que l'on compare, faute de documents directs sur ce qu'a pu être la langue parlée, avant le XXe siècle et l'enregistrement. On a néanmoins les moyens de reconstituer une connaissance assez précise. Voir avant tout Brunot.

Le jeu de ces différents facteurs de variation ne saurait cependant affecter un fait essentiel : tout ne varie pas au même titre, la variation ne fait pas bloc ou système, elle ne dégage pas des sous-langues (ou variétés) que l'on pourrait opposer les unes aux autres.

1.2. Communauté, consensus, jugement, inégalité

On peut effectuer une expérience : soumettre à quelques locuteurs-témoins des enregistrements, aussi neutres que possibles du point de vue factuel, d'une série de locuteurs aussi différents que possibles du point de vue de leur statut, et donc de leur façon de parler. Les « témoins » s'avèrent capables de situer socialement les locuteurs, selon une hiérarchie souvent assez fine, sans pouvoir toutefois expliciter les traits linguistiques sur lesquels repose leur jugement. On en conclura que, même si c'est de façon peu raisonnée, les membres d'une communauté sociolinguistique ont conscience de la variation et savent lui attribuer une signification sociale.

Les locuteurs partagent donc une hiérarchie de valeurs, quelle que soit la position que, quant à eux, ils occupent dans cette hiérarchie. Ceci a pu conduire Labov à écrire : « Il serait faux de concevoir la communauté linguistique comme un ensemble de locuteurs employant les mêmes formes. On la décrit mieux comme étant un groupe qui partage les mêmes normes quant à la langue. »[15]

Il y a donc des usages que tout le monde reconnaît comme valorisés, et d'autres que tout le monde juge stigmatisés. Or, les locuteurs intériorisent la norme comme quelque chose d'extérieur, d'indépendant de leur propre façon de parler. Ce que nous avons pu vérifier de la façon suivante : lassée d'entendre des étudiants de licence rire en écoutant des enregistrements de locuteurs défavorisés, je leur ai proposé de s'enregistrer eux-mêmes, dans la situation la plus familière possible, et de se transcrire. Ils ont tous alors pu constater leurs scories, s'apercevoir que nombre de leurs phrases étaient inachevées, qu'ils disaient *pas* et non *ne... pas*, [i] et non pas [il] devant un verbe commençant par une consonne, qu'ils redoublaient les sujets en une séquence *nom + pronom...*, tout comme moi d'ailleurs. Les rires ont cessé, et a pu être posée la question de la signification de ce rire prêt à nous saisir à l'écoute de ce que l'on croit n'être que l'autre.

Le rire est peut-être la manifestation extrême d'un jugement de valeur qui accueille implicitement les productions linguistiques des locuteurs illégitimes[16], expression d'un jugement social qui ne se donne pas comme tel. En tout cas, il révèle quelque chose de suffisamment fort pour que se pose la question : si tout le monde sait comment il est « bien » de parler, pourquoi continue-t-on à utiliser des formes stigmatisées ? Pourquoi y a-t-il de la variation ?

Répondre à cette question n'est pas facile. On peut cependant affirmer que toutes les sociétés manifestent de l'inégalité linguistique. À une distinction entre grammatical et agrammatical, minimum requis pour une langue, il semble bien que, quelle que soit leur organisation sociale, elles ajoutent la distinction entre le plus et le moins correct, à quoi elles accolent un jugement de valeur[17].

15. Labov (1976), p. 228.
16. Ce terme est emprunté à Bourdieu. Nous ne le suivrons pas sur le terrain d'une langue légitime ou illégitime, mais il nous semble commode d'appliquer ces termes aux locuteurs. Nous utiliserons donc « légitime » et « illégitime », de façon à peu près équivalente à « favorisé » et « défavorisé ».
17. La distinction grammatical / agrammatical provient de la grammaire générative. Elle ne doit pas être confondue avec le phénomène social d'inégalisation linguistique, dont Bloomfield a montré la généralité à partir d'une société primitive (1927).

2. Les concepts destinés à prendre en compte l'hétérogène

Les théories linguistiques décrivent le système de la langue, généralement considéré comme homogène ; elles ne sont donc pas prêtes à prendre en compte l'hétérogène, qu'il soit apporté par le parlé face à l'écrit, ou par le non-standard face au standard, et ceci pour des raisons qui débordent largement la rationalité scientifique[18]. Aussi les concepts qui permettent d'aborder l'hétérogène ne sont-ils pas toujours très précis, ni très intégrés dans les théories.

2.1. La norme

La notion de norme permet la prise en compte de cette inégalité, sous un angle dichotomique : une forme appartient à la norme, ou n'y appartient pas.

Le terme « norme »[19] est très polysémique, mais nous retiendrons essentiellement deux sens : la norme objective (telle qu'on peut l'observer) et la norme subjective (élaboration d'un système de valeurs). Dans ses deux significations, la norme s'oppose à des usages pluriels.

La norme au premier sens décrit le « normal », le régulier, à quoi s'opposent l'irrégulier et l'anormal.

On peut passer de là au sens évaluatif, du normal au normé puis au normatif : un certain usage, à tous les niveaux linguistiques, est valorisé par rapport aux autres, pour des raisons que l'on donne comme liées à la langue (sentiment de la langue, clarté, logique du rapport pensée-expression, conformité à l'histoire de la langue, esthétique), mais qui de fait rationalisent des jugements sociaux. Une forme est valorisée parce qu'elle est l'apanage des groupes sociaux dominants parmi lesquels se trouvent les locuteurs légitimes, et non pour une quelconque justification linguistique que, la plupart du temps d'ailleurs, on ne saurait établir de façon univoque. Ainsi, par exemple, (10) est la forme correcte, et (11) est condamné par la norme. La justification avancée pour condamner (11) est la nécessité d'une différence de préposition selon que le syntagme nominal (SN) est animé ou inanimé, comme en (12) :

(10) je vais chez le docteur

(11) je vais au docteur

(12) je vais au bazar

D'un point de vue de logique du système, on pourrait cependant défendre (11) en arguant de ce que le système français ne connaît pas, pour les autres prépositions, de distinction en fonction de la nature animée ou inanimée du SN qui suit. Tuaillon (1983) signale d'ailleurs que, dans la région de Grenoble, on utilise les deux formes en leur

---

18. Peut-on vraiment affirmer qu'est désormais révolue l'époque où Bauche, auteur en 1920 d'un *Langage populaire*, faisait savoir dans la deuxième édition de l'ouvrage (1928) qu'il s'était vu traiter de « bolchévik », « démophile », « démomane », « pétroleur » et « naufrageur ». « Et pour avoir, après tant d'autres, rappelé que le langage populaire finit toujours par avoir raison, j'ai été accusé d'employer un *style de 1*er *mai*. »

19. Les travaux sur la norme sont extrêmement nombreux, à la fois de points de vue historiques et de points de vue descriptifs. Aussi ne citerons-nous ici qu'un ouvrage, Gueunier et coll. (1978), qui a l'originalité d'explorer le rapport entre norme et insécurité linguistique, le rapport entre ce que les gens produisent, ce qu'ils croient produire, et ce qu'ils savent qu'ils devraient produire pour respecter la norme. Pour une réflexion générale voir aussi Rey (1972) et Bédard & Maurais (1983).

attribuant une signification différente : (11) est adapté à une relation professionnelle (le docteur-rôle social), et (10) à une visite amicale (la maison). La norme est donc linguistiquement arbitraire et, à part la décrire, la seule chose à en dire est d'en prendre acte.

Ayant une origine sociale et politique liée à l'imposition du français comme langue nationale à travers le processus qui va du XVIe siècle à la Révolution (aspects historiques dont nous ne parlerons aucunement ici[20]), la norme, appuyée sur l'écrit, impose sa domination dans un effet de consensus : aucun locuteur ne la remet en cause en tant que norme, que lui-même s'y conforme ou non. Elle a donc un effet unificateur, sous les deux aspects complémentaires de la norme objective (les signes d'une stratification linguistique, fonction de la variation diastratique et diaphasique), et de la norme évaluative (les jugements émis par les locuteurs). C'est par elle que les valeurs sociales qui touchent à la langue ont une stabilité et une uniformité remarquables. En ce sens, « norme » tend vers « normal », moyen, point de référence par rapport auquel se disent les écarts et les fautes.

Du jugement subjectif, on passe facilement à un autre sens qui ne nous retiendra plus ici : l'attitude normative, qui peut aller jusqu'au purisme, de quiconque s'impose comme règle de conduite l'usage exclusif des formes normées, et prétend les imposer aux autres dans des préceptes de langue qui prennent la forme : « ne dites pas..., mais dites... ». Exemple : *malgré que* ne se dit pas, seules s'utilisent la préposition *malgré* et les conjonctions de subordination *bien que* et *quoique*. On trouvera une analyse des effets de l'attitude puriste dans Beaujot (1982).

Par ailleurs, on trouvera des réflexions sur la langue à enseigner à l'école dans son rapport avec la norme d'une part, les aspects sociolinguistiques de l'autre, dans Bally (1930), Chevalier (1968), Genouvrier (1972), Besse (1976), Berrendonner (1982), Gueunier (1985), Labov (1993).

2.2. La notion de faute

Est considéré comme « faute », d'un point de vue normatif, tout ce qui ne se conforme pas à la norme. Mais comme nous venons de voir que la norme s'imposait selon des critères sociaux et non sur des critères linguistiques, il est important de chercher à saisir les mécanismes de ces fautes d'un point de vue structurel, ce qui suggère de distinguer entre plusieurs formes d'infractions. Nous allons le faire à travers un petit corpus, qui met en jeu quelques types de « fautes » :

(13) pallier à un inconvénient

(14) après qu'il soit parti, on a enfin pu s'amuser

(15) Pierre lui la donne

(16) tout en moi reconnaissant qu'il avait raison

(17) j'en ai marre de cette chaussure / elle est inlaçable

(18) le problème du chômage dont nous savons que personne à l'heure actuelle n'a de vraies solutions

— (13) représente par excellence le champ d'application de la norme : il se fait que le verbe *pallier* se construit de façon directe, que beaucoup de locuteurs le construisent

20. Voir Brunot, Balibar & Laporte (1974), et Lodge (1997).

avec *à*, mais on n'atteint pas proprement le mécanisme de la construction des verbes en modifiant la répartition entre verbes transitifs directs et indirects.

— (14) met en cause un parallélisme dans la construction des conjonctions : selon la norme, *après que* devrait se construire avec un indicatif, mais l'analogie avec *avant que*, qui se construit avec le subjonctif, généralise l'occurrence du subjonctif ; la faute a ici pour effet de rétablir un parallélisme entre deux conjonctions à sens symétrique.

— (15), régionalisme de l'Isère et de l'Ardèche, est aussi une recherche de régularité, mais à un niveau systémique plus vaste. Le français oppose en effet deux ordres séquentiels pour la succession des pronoms :

(15') Pierre me la donne

(15") Pierre la lui donne

Quand le pronom clitique indirect est à la première personne, l'ordre est : *pro. ind.* + *pro. dir. (me la)*, et quand le clitique indirect est à la troisième personne, l'ordre est *pro. dir.* + *pro. ind. (la lui)*. C'est là une règle complexe et isolée (il n'y a pas d'autre exemple de différence entre première et troisième personne) : l'effet de (15) est d'aligner toutes les personnes sur le schéma de (15').

— (16) obéit encore à d'autres objectifs ; en effet, la forme standard serait (16') :

(16') tout en reconnaissant qu'il avait raison

(16') se caractérise par une absence de sujet, propre aux constructions de participes et d'infinitifs, qui est souvent ressentie par les locuteurs comme source d'imprécision. Le rétablissement d'un sujet vient compenser cette imprécision, de même que dans l'infinitive (19), car on pourrait à la rigueur dire que la phrase standard (20) est ambiguë :

(19) je lui ai donné un jeu pour elle apprendre à compter (régionalisme du Nord)

(20) je lui ai donné un jeu pour apprendre à compter

— La séquence (17), relevée chez un enfant, est un produit typique de l'analogie : sur le modèle de *décider / indécidable*, une quatrième proportionnelle a produit *inlaçable* à partir de *lacer*. Mais cette « faute », qui révèle une réelle maîtrise du mécanisme de formation des adjectifs sur les verbes, apparaît pour le moment comme un produit instable.

— Quant à (18), elle traduit les difficultés que bien des locuteurs éprouvent dans l'usage de *dont*, en liaison avec la complexité du système de la relative.

Quelques exemples, en nombre et en types limités, ont permis de montrer que ce qui est habituellement regardé comme « fautif », recouvre des faits linguistiques fort variés. Il est sûrement intéressant pour la linguistique de comprendre la nature exacte de ces « fautes », comme tente de le faire Frei (1929), qui affirme que « on ne fait pas des fautes pour le plaisir de faire des fautes. [...] Dans un grand nombre de cas la faute, qui a passé jusqu'à présent pour un phénomène quasi-pathologique, sert à prévenir ou à réparer les déficits du langage correct » (p. 19). Leeman-Bouix (1994) poursuit le même objectif, en opposant les points de vue du puriste, du grammairien, et du linguiste.

Aucune des « fautes » décrites ici ne va jusqu'à l'échec dans la communication. On peut d'ailleurs se demander si une telle chose existe en contexte. Ainsi la séquence (21), difficilement interprétable hors contexte, est parfaitement compréhensible en présence du régleur de télévision commençant par fixer la cinquième chaîne qui, à l'époque où elle existait, se caractérisait par la présence permanente sur l'écran du chiffre 5.

(21) la cinq / c'est la seule qu'ils ont écrit

On retiendra que les formes des énoncés sont adaptées à leurs conditions de production, ce que la notion de faute n'est guère susceptible de prendre en compte.

2.3. *Les registres de langue*

Une fois reconnu le rôle inégalisant de la norme, une fois compris le processus qui, dans une logique de fonctionnement linguistique, peut conduire à la faute, il reste que, parmi les formes « correctes », il y a encore de l'inégalité, liée à la variation selon les situations de parole. On en rend compte généralement avec la notion de « niveaux de langue », que l'on croit quelquefois débarrasser de ses implications d'évaluation hiérarchique en la remplaçant par « registres de langue ». « Registre », « niveau », ou « style », terme employé dans la tradition américaine (« style contrôlé » ou « style non contrôlé ») : ces trois termes constituent le bagage dont la tradition grammaticale s'est dotée pour décrire les manifestations de la variation diaphasique[21].

L'application la plus courante de cette notion concerne le traitement du lexique dans les dictionnaires. On est ainsi habitué à voir des mots qualifiés de : vulgaire, argotique, populaire, familier, courant, soutenu, littéraire, archaïque… On caractérisera par exemple *soufflet* comme littéraire ou soutenu, *claque* comme familier, et *torgniole* comme populaire ; le fait que *gifle* soit courant (standard) ne se dit généralement que par l'absence de toute autre précision. Mais ces classifications appellent un certain nombre de remarques.

On relèvera avant tout la part de subjectivité qui intervient dans les jugements, mise en lumière par les disparités entre dictionnaires. Ainsi, par exemple, *cocu* est donné comme « populaire » par le *Dictionnaire du français contemporain*, « vulgaire » par le *Robert*, « familier » par le *Petit Larousse…*

Les désignations des registres ne sont aucunement satisfaisantes, car elles ne distinguent pas entre classification diastratique (ex. « populaire ») et classification diaphasique (ex. « soutenu »). Or, étant donné qu'il n'y a pas de locuteur à style unique, il serait nécessaire de croiser les catégories et de distinguer, par exemple, du « populaire soutenu » et du « populaire familier ».

Mais ces remarques ne constituent pas les critiques les plus graves que l'on puisse adresser à l'usage courant de la notion de registre de langue.

Du point de vue du fonctionnement de la langue, on lui reprochera d'isoler le lexique. Certes, la variation lexicale est la plus saillante, mais il est clair qu'elle ne peut être isolée des autres plans : si la notion de registre de langue peut être retenue, c'est en la définissant comme intersection d'un faisceau de phénomènes phonologiques, intonatifs, morphologiques, syntaxiques et lexicaux.

Ces phénomènes sont la plupart du temps congruents, comme l'illustre chacune des versions de cet énoncé produit par le même locuteur, à quelques minutes d'intervalle, sous des formes bien différentes :

(24) [ʃpɑ̃spakilɑ̃neɛ̃si] (je pense pas qu'il en est ainsi)

(24') je ne pense pas qu'il en soit‿ainsi

Au moins quatre points de différences entre les deux : l'assimilation de la première consonne, le *ne* de négation, le mode du verbe subordonné, et la liaison.

21. On trouvera une présentation scolaire de la notion dans Stourdzé & Collet-Hassan (1969). Des critiques, portant sur les différents points qui vont être énumérés, s'élèvent assez rapidement : Chevalier (1969 a), Besse (1976), Corbin (1980), Klinkenberg (1982), Paquette (1983), Gadet (1996 a). Sur l'usage américain de « style », Lefèbvre (1983).

Cependant, il se peut aussi que cette congruence n'ait pas lieu : les conditions d'une production de parole sont trop complexes pour que soit évitée la variation interne, un locuteur pouvant toujours être à cheval entre usage standard et usage non standard, comme dans :

(25) j(e) suis⁀allée au docteur ([ʃʃyizaleodɔktœr])

En entendant cette phrase, j'ai été surprise que la liaison accompagne une assimilation et l'expression *aller au docteur*. Les traits linguistiques possèdent des forces inégales, et l'assignation d'un registre ne saurait être qu'un compromis, dont on se demandera s'il n'est pas trop fixiste pour prendre en compte la souplesse de l'usage de la langue (Gadet, 1996a).

Cette remarque n'est d'ailleurs pas sans rapport avec la deuxième critique majeure que nous adresserons à la notion de registre : s'agit-il d'une assignation linguistique ou extralinguistique ? Qualifie-t-on la forme ou la situation ? On voit la difficulté, quand (24) et (24') se succèdent dans une situation qui ne s'est pas modifiée.

Norme, faute, registre… C'est là le « supplément d'âme » dont s'accompagnent les théories linguistiques pour prendre en compte l'inégalité parmi les productions. Mais aucune théorie ne fait un usage central de ces concepts dans la conception même de la langue, ce qui rend très difficile d'accorder à la variation une place autre que marginale (voir pourtant la contribution de Berrendonner *in* Berrendonner *et al.*, 1983, et la tentative de Chaudenson *et al.*, 1993).

3. Qu'est-ce qui varie, et pourquoi ?

Quelles raisons, linguistiques et extralinguistiques, peuvent faire qu'un phénomène soit, plus qu'un autre, le siège d'une variation potentielle ?

Pour des raisons méthodologiques, il est de coutume de distinguer entre facteurs internes à la langue et facteurs externes. Coutume que nous suivrons dans la présentation, bien que ces facteurs interagissent étroitement.

3.1. Facteurs internes

Est-il possible de caractériser linguistiquement les faits de variation ? Quelques linguistes[22] ont tenté d'expliquer la variation et le changement par la dynamique qui se fait autour des points de déséquilibre d'un système. On peut ainsi s'attacher à l'étude des symptômes que constituent les fautes, si l'on accepte de les regarder non comme des phénomènes pathologiques aléatoires, mais comme des procédures de prévention de déficits systémiques.

Prenons comme exemple le segment (26), extrait de la séquence (27). Il est oralement ambigu, pouvant correspondre aux segments écrits (28) ou (29) :

---

22. Frei, pour la problématique la plus aboutie. Mais l'idée de saisir le changement de façon linguistique était dans l'air dans les années 1920 : on en trouve la discussion chez Bauche, chez Vendryès… et tout le monde s'intéresse à l'analogie. Certains aspects de cette tradition seront repris par Martinet, plus spécifiquement pour l'étude du changement phonétique (1955 et 1988).

(26) [kilatrai]
(27) le fait [kilatrai]
(28) qu'il a trahi
(29) qui l'a trahi

L'ambiguïté étant souvent mal supportée, si toutefois elle est perçue, deux procédures d'évitement peuvent apparaître, chacune obéissant à un principe différent, l'un phonétique — (30) — et l'autre grammatical — (35) — :

(30) [killatrai]

La présence d'un double l en (30), qui correspond à l'interprétation (29), peut elle-même recevoir deux explications :

— soit les deux l proviennent de segments différents, et l'on pourrait représenter (30) en (31), complétive ou « relative de français populaire » :

(31) qu'il l'a trahi

— soit les deux l représentent une géminée, redoublement du clitique objet destiné à lui donner un poids phonique que sa forme instable lui refuse. Cette explication est confortée par la fréquence de formes comportant cette gémination considérée comme familière :

(32) [ʒəllevy]
(33) [ʒəlaprɑ̃] / [ʒəllaprɑ̃]
(34) je la prends / je l'apprends

La deuxième procédure d'évitement est possible si le nom est féminin (et si le participe passé marque l'opposition masculin / féminin) ; elle joue sur l'extension des règles d'accord :

(35) [kilafɛt]
(35') la femme qu'il a faite partir

Les fautes peuvent également nous apprendre quelque chose par la direction dans laquelle des corrections interviennent : beaucoup plus fréquemment du familier vers le standard que l'inverse ; ce qui souligne, s'il en était besoin, l'absence de symétrie entre les deux.

Ces réflexions sur l'état d'un système à un moment donné ne permettent ni de prédire qu'un changement aura lieu à coup sûr, ni d'indiquer quand et selon quelles modalités il intervient. Elles ne font que désigner certains points comme plus « fragiles » que d'autres, moins intégrés dans un système ou dans un réseau de systèmes.

Nous prendrons deux illustrations, l'une en phonologie et l'autre en syntaxe, de la façon dont cette problématique peut conduire à formuler les interrogations sur la variation : pourquoi [œ], et non [b], est-il soumis à variation ? Pourquoi la relative plus que la complétive ?

Les réponses ne seront pas formulables dans les mêmes termes pour la phonologie et pour la syntaxe. La première question conduit à examiner système des voyelles et système des consonnes : le système des consonnes est à peu près stable depuis le XVIIe siècle, et /b/ est un pilier du système phonologique (par son opposition à la fois à /p/, à /m/ et à toutes les autres occlusives sonores ; le nombre de paires dans lesquelles il entre est très élevé). Le système des voyelles, quant à lui, est en perpétuel déséquilibre. [œ] est une voyelle intermédiaire, dans un système vocalique chargé ; il appartient à une série peu fréquente dans les langues du monde (les arrondies d'avant), et son opposition avec [ø] ne permet de distinguer que peu de paires. Le maintien de l'opposition [ø] / [œ] est donc coûteux pour un rendement minime[23].

23. Toutefois, ce type de raisonnement fonctionnaliste simplifie trop les choses : ainsi, le [b] peut aussi être soumis à variation, comme le montre la prononciation alsacienne où il est fortement assourdi et tend vers un [p].

Pour répondre à la deuxième question, on peut dire aussi que la relative constitue un système complexe. Les formes en concurrence sont nombreuses, et le système du pronom relatif présente un type de fonctionnement que l'on ne retrouve guère en d'autres points du système (sauf pour les pronoms personnels) : l'ordre des mots ne reproduit pas celui de la phrase assertive simple, et le pronom cumule plusieurs rôles habituellement distingués (voir chapitre 13). Par opposition, le fonctionnement de la complétive est simple.

La logique de cette perspective exclusivement linguistique est une conception de la langue comme combinaison de zones aux statuts divers, la plus grosse partie des faits linguistiques étant stables, et d'autres variables, avec des degrés dans la variabilité.

3.2. Facteurs externes

La reconnaissance des points structurellement faibles ne suffit cependant pas à expliquer la variation et le changement, ni surtout les modalités de leur intervention. Pour cela, il est indispensable d'entrer dans la vie sociale d'une société, et de comprendre les forces qui sont en jeu. C'est sur ce point que l'Américain William Labov a apporté à la recherche sociolinguistique des éléments décisifs. Nous exposerons ici sa première enquête, effectuée dans l'île de Martha's Vineyard (article de 1963 *in* 1972b).

Il s'agit d'observer un changement phonétique au sein de la communauté où il se produit. Les diphtongues [aj] et [aw] ont été repérées comme connaissant, à Martha's Vineyard, une prononciation caractérisée par la centralisation de la voyelle ([ə j] et [əw]) que l'on ne retrouve pas dans le reste du Massachusetts. L'hypothèse étant qu'il n'est possible de comprendre la progression d'un changement qu'en rapport avec la vie de la communauté, Labov travaille la corrélation du linguistique et du social (covariation), pour isoler les facteurs sociaux qui influent sur le processus linguistique.

L'île comporte quatre groupes ethniques : anglais, portugais, indien, et un groupe mêlé ; lieu de villégiature, elle reçoit tous les étés une foule d'estivants.

La partie linguistique de l'enquête est conçue de façon à faire apparaître les diphtongues en grand nombre, dans plusieurs types de discours (familier, émotif, soigné et lu). Elle comporte :

— un questionnaire lexical centré sur des mots comportant les diphtongues ;

— des questions sur les jugements de valeur liés à l'attitude sociale de l'interrogé, formulées de façon à faire apparaître des mots comportant les diphtongues ;

— une lecture censée tester la faculté à lire avec naturel, comportant de nombreux mots avec les diphtongues ;

— des observations en situation familière, à but de contrôle.

Labov réalise ainsi soixante-neuf entretiens, avec des hommes et des femmes, dans tous les groupes professionnels, classes d'âge, professions et zones d'habitat. L'enquête fait apparaître que la variable de centralisation de la voyelle est sensible à l'âge, à la situation géographique dans l'île et à la profession.

Mais ces conclusions, en proposant trop d'explications à la fois, montrent que le facteur décisif n'a pas été perçu et qu'il est indispensable d'entrer plus profondément dans la compréhension de la vie de l'île. L'économie de Martha's Vineyard dépend toujours davantage du tourisme estival, et on peut schématiser les sentiments éprouvés par les habitants vis-à-vis de leur île et de son avenir en positif, neutre et négatif. Comme le besoin de différenciation linguistique tend à s'exacerber devant la difficulté qu'éprouve un groupe pour définir son identité, la centralisation, propre à ceux qui voudraient préserver l'insularité de Martha's Vineyard, peut se comprendre comme une revendication identitaire : « je suis Vineyardais ».

Cette enquête est remarquable à plus d'un titre : il apparaît en effet que les Vineyardais ne peuvent commenter consciemment le trait de centralisation, ni *a fortiori* sa signification. On observe donc ici un processus qui en dit long sur la puissance idéologique de la langue : un petit trait phonétique est susceptible de traduire une option sociale, l'attitude du locuteur envers l'accès de sa communauté à la modernité. On voit bien ici qu'une description purement interne ne pouvait que manquer l'explication. Mais il restera à se demander pourquoi c'est sur ce trait-là que vient porter le message idéologique.

D'ailleurs, le fait que le fonctionnement de la langue échappe en grande partie à la conscience du locuteur (et encore plus le changement), va inciter Labov à distinguer trois étapes dans un changement : les phénomènes linguistiques peuvent être des indicateurs (inconscients, ce sont des signes avant-coureurs du processus), des marqueurs (qui sont conscients, et disponibles pour la variation stylistique), et des stéréotypes (à ce point conscients qu'ils constituent des stigmates sociaux).

3.3. *Hypercorrection et « insécurité linguistique »*

Si nous accordons ici une place à la notion d'hypercorrection, c'est qu'il s'agit d'un phénomène aux manifestations linguistiquement répertoriables, mais qu'on ne peut généraliser sans faire intervenir la catégorie socialement définie d'hypercorrection : on pourrait donc dire qu'elle tient à la fois des facteurs internes et des facteurs externes. Prenons quelques exemples :

(36) si vous laissez r un message, je vous rappellerai dès mon retour

(37) c'est une petite ville où il fait assez bon y vivre

(38) voilà la façon dont nous pensons que la culture doive évoluer

Qu'y a-t-il de commun entre les énoncés (36), (37) et (38) ? Linguistiquement, pas grand-chose. Il peut néanmoins être intéressant de les rapprocher, du point de vue de l'attitude sociale qui a présidé à leur énonciation : dans les trois cas, il y a attitude d'hypercorrection, tendance à une surenchère en situation surveillée.

Le concept n'est pas simple à définir, car, dans l'usage actuel, il recouvre deux sens appartenant à l'origine à deux traditions distinctes : l'un utilisé par les grammairiens français, et l'autre issu des travaux de Labov.

Dans le sens français, « hypercorrection » recouvre une réalisation grammaticale fautive due à l'application excessive d'une règle imparfaitement maîtrisée : liaison fautive en (36), relative « pléonastique » en (37), extension du domaine du subjonctif en (38) (qui correspond trop à une tendance actuelle pour être vraiment sentie comme faute).

Dans le sens américain (qui n'est d'ailleurs pas incompatible avec le premier sens), l'aspect thématisé est une attitude sociale liée à la connaissance des jugements sociaux sur les formes, et spécialement sur les formes de prestige. Un locuteur ou un groupe social manifeste à la fois un usage stigmatisé en situation familière, un emploi corrigé ou hypercorrigé en situation soutenue, et un jugement dépréciatif sur sa propre production familière : ce que Labov appelle un état d'« insécurité linguistique ». On pourrait selon ce point de vue commenter (36) de la façon suivante : le locuteur connaît l'effet valorisant de la liaison, mais, ne l'employant pas lui-même de façon naturelle, il n'en a pas une maîtrise aisée dans le discours.

Cette définition laisse ouvertes de nombreuses questions sur ce que peut être l'insécurité, ou ce que serait le contraire, être en sécurité dans sa langue ; cependant, elle reflète bien l'enchevêtrement des deux dimensions, interne et externe.

*

* *

Nous conclurons ce premier chapitre par une interrogation. Nul ne songe à nier l'existence de la variation. Mais reconnaître une vérité ne construit pas la place à lui assigner. Faut-il qu'une conception de la langue comme combinaison de zones variables et de zones stables se substitue à celle de langue-système homogène ? Nous allons voir maintenant ce qu'il en est pour les théories actuelles.

CHAPITRE 2

LES THÉORIES LINGUISTIQUES ET LA VARIATION

Une description linguistique de la variation n'est pas chose facile à réaliser, car on se trouve au carrefour de deux orientations théoriques : la grammaire (phonologie, morphologie, syntaxe, lexique) et la sociolinguistique. Chacune des deux offrant des perspectives et des outils théoriques fort différents, il faut s'interroger sur l'intérêt qu'ils présentent, et sur les rapports qu'ils peuvent entretenir.

1. Les théories grammaticales

Les faits de variation ne sont pas, en tant que faits réels, ignorés des linguistes, et, quand Saussure ou Chomsky proposent des concepts destinés à les mettre à l'écart (comme langue / parole, synchronie / diachronie, compétence / performance), il s'agit de gestes théoriques et non d'un déni de réalité.

1.1. Corpus attesté ou recours à l'intuition

Ces deux termes schématisent l'opposition entre deux attitudes du linguiste : d'une part celle d'observation, qui ne s'intéresse qu'aux productions, réduisant ainsi le sujet parlant au rôle de support de la langue ; d'autre part, celle de reconnaissance d'un sentiment linguistique du sujet parlant, à qui on suppose un savoir, clef de sa production, qu'il met en œuvre en parlant, et dont il est attendu qu'il puisse dire quelque chose.

Cette opposition n'est toutefois pas adéquate pour opposer sociolinguistique (qui serait du côté de l'observation) et grammaire (du côté de la mise en œuvre de l'intuition), car la réflexion sur la distinction entre standard et non-standard oblige à s'interroger sur les données[24], et le statut qu'on leur accorde dans une théorie. C'est, pour le grammairien, l'occasion de reconnaître l'hétérogène, et, pour le sociolinguiste, celle de pratiquer des manipulations de langue.

Les théories linguistiques reposant sur le sentiment de la langue ont largement démontré leur capacité, et il n'est pas question ici de remettre en cause les avancées qu'elles ont permises dans la description de la langue. Il en va d'ailleurs de même pour la dimension de l'oral et de l'écrit : toute notre capacité de réflexion sur la langue est

24. Voir Delaveau & Kerleroux (1984), et Reichler-Béguelin (1993).

tributaire de l'écrit, et la plupart des locuteurs ne sont absolument pas conscients de la façon dont ils parlent réellement. Il est donc illusoire de leur demander de faire usage sur ce sujet de capacité réflexive[25].

Cependant, dès que l'on considère des faits non standard, la mise en œuvre de l'intuition devient difficile, car ils mettent en jeu, à côté du jugement linguistique, des jugements sociaux sur des points où divergent usage dominant et usage dominé. Si l'intuition peut s'exercer avec précision sur le standard, lieu où s'est constitué notre apprentissage linguistique raisonné, nos connaissances conscientes et nos capacités réflexives sont bien moindres (capacité à reproduire, capacité à juger, capacité à prévoir) dans le domaine du non-standard.

On pourrait certes envisager d'avoir recours à l'intuition d'un locuteur « natif » des formes non standard[26], en mettant en œuvre les pratiques très fines mises au point par dialectologues, ethnologues et ethnographes. Mais, comme il s'agit d'une même langue, ce serait supposer entre standard et non-standard une symétrie qui paraît utopique, car on sait que, dans les contacts inégaux entre un locuteur du dialecte standard (ce qu'est le chercheur) et un locuteur du dialecte non standard, il y a toujours le risque que le standard, socialement dominant, vienne désorganiser la production même des énoncés, et en tout cas la réflexion sur le système non standard, dans des proportions difficiles à prédire.

La source essentielle de nos données restera donc l'observation, avec les limites qu'on lui connaît : non-exhaustivité du corpus, problèmes pour savoir si un procédé est généralisable et jusqu'où, difficulté d'interprétation de l'absence d'une forme (forme non disponible ? hasard ? particularité d'une situation ?), éventualité du non-réitérable... On comprend pourquoi le non-standard n'est toujours pas correctement connu, ne serait-ce que sur les domaines d'extension de ses règles.

1.2. Système standard, système non standard et système de langue

Pourtant, les outils offerts par les théories grammaticales ne doivent pas être hors jeu, puisqu'il s'agit bien d'étudier un système. Le sens que l'on donne à ce mot est cependant à préciser.

Avant tout, on ne saurait retenir l'idée qu'il n'y aurait de système que des langues à statut historique ou social valorisé : toute « langue » constitue, du point de vue linguistique, un « système », même un pidgin ou un sabir[27] apparemment le plus rudimentaire. Mais quelles relations supposer entre système standard et système non standard, qui évite de faire du deuxième un abâtardissement du premier et garde l'idée que l'ensemble constitue une même langue ? Un cas comme celui de certains pronoms après l'impératif[28]

25. Voir Culioli (1983), Kerleroux (1990), Blanche-Benveniste (1993b), et Gadet (1996b).

26. Zribi-Hertz (1988) fait un intéressant plaidoyer pour cette position. Mais, pour m'être confrontée aux aléas de l'intuition des sujets parlants dès que l'on quitte le standard, je ne suis pas convaincue que celle-ci puisse constituer autre chose qu'une hypothèse d'école.

27. Un pidgin est une création linguistique à syntaxe et vocabulaire limités ; il naît de la rencontre entre deux langues sur des besoins économiques spécifiques, et n'est jamais la langue maternelle de qui que ce soit. Un sabir est une création encore plus limitée, née d'échanges tout à fait ponctuels.

28. Nous reprenons sa démonstration à Blanche-Benveniste (1983). Les chercheurs du GARS ont fréquemment présenté une telle problématique, par exemple Deulofeu (1983).

montre qu'il peut arriver que seule la prise en compte de l'ensemble *système standard + système non standard* permette de saisir le principe d'organisation.

L'usage standard comporte quatre cas différents, que l'on peut représenter par les phrases :

(1) donne nous-en

(2) mangez-en

(3) manges-en, touches-y

(4) donne m'en, emmène m'y

— (1) : la prononciation [zɑ̃] est l'effet de la liaison entre *nous* et le pronom ;

— (2) : la prononciation [zɑ̃] est l'effet de la liaison à partir de la finale verbale ;

— (3) : [zɑ̃] et [zi] s'expliquent certes par la liaison, mais celle-ci est liée au fait que l'impératif comporte un *-s* graphique *ad hoc*, réservé à ce cas. L'explication est circulaire : on prononce [zi] parce qu'il y a un *-s*, et il y a un *-s* parce que l'on prononce [zi] ;

— (4) : le pronom *moi* est tronqué devant les initiales vocaliques de *en* et *y*.

Ces quatre principes constituent un système assez hétérogène, avec certains aspects « bricolés ».

L'usage non standard offre plusieurs autres formes, condamnées par la norme, qui comportent un [z] généralement considéré comme parasite :

(5) donne-moi z'en

(6) donne z'en moi

(7) emmène moi z'y

(8) emmène z'y moi

(9) donne leur z'en

(10) parle lui z'en

Il est cependant possible de saisir une cohérence entre les deux sous-systèmes (standard et non standard), et du même coup dans le système, en établissant les deux règles suivantes :

— il existe un procédé de troncation de la voyelle du pronom *moi* ou *toi* (mais pas *lui*), quand celui-ci précède *en* et *y* ; l'usage standard y a recours, mais non l'usage familier ;

— *en* et *y* connaissent les allomorphes [zɑ̃] et [zi] en position postverbale, quel que soit l'élément qui précède[29].

L'usage standard fait appel en complémentarité aux deux procédés, alors que l'usage familier étend le champ d'application du second. L'usage standard ne conserve la forme pleine du pronom (*moi, le*) qu'en finale de syntagme, alors que l'usage familier utilise toujours la forme pleine à l'impératif (*moi, le, z'en, z'y*)[30] . De plus, l'ordre de succession des pronoms, très contraint dans l'usage standard, est plus libre dans l'usage familier.

Cette analyse supposant une double forme des pronoms se voit confortée par l'existence d'un autre cas, qui présente aussi des allomorphes : *t'il, t'elle* et *t'on*, sujets

29. On retrouve ainsi une analyse de Damourette & Pichon (§ 2361), qui proposaient d'analyser z comme partie du pronom, et non comme partie du verbe.

30. Il serait intéressant de voir ces faits en fonction de leur évolution. On notera cependant qu'on est très démuni pour l'histoire des formes non standard, car les textes ne sauraient nous donner que des références écrites, donc plus ou moins standardisées. Les choses changent radicalement avec l'apparition de l'enregistrement. Les premiers enregistrements de formes populaires datent du début du XXe siècle. Voir François (1985).

pronominaux postposés. L'explication par la liaison est impuissante à justifier la forme *murmure-t-il* à côté de *dit-il* (on observe d'ailleurs que la notation orthographique du *t* est tardive).

En conclusion, on remarque que l'usage standard repose sur une combinaison de la troncation de la voyelle et de l'allomorphie *en / z'en*, alors que l'usage familier étend le recours à l'allomorphie et diversifie la forme des pronoms selon leur position par rapport au verbe. En constatant que des formes comme *donne moi z'en* sont violemment fustigées par la norme, on soulignera que, plus une forme est difficile à justifier, plus ses variantes non standard sont rejetées.

De cet exemple, nous tirerons trois commentaires. Le premier concerne la façon dont un phénomène linguistique peut être déterminé à la fois par la phonologie et la grammaire. On explique en effet souvent une forme comme *donne lui z'en* comme l'apparition d'une consonne transitoire destinée à éviter un hiatus. Ce qu'elle fait effectivement ; mais l'ordre phonétique à lui seul ne peut expliquer le phénomène (pourquoi [z] et pas [r], par exemple ?), déterminé phonologiquement mais aussi par le réseau grammatical dans lequel il prend place.

Le deuxième commentaire concerne l'éclairage que la formulation d'une règle jette sur les faits. Ainsi, pour l'exemple suivant :

(11) Pierre, il est plus bête de jour en jour

On peut certes y voir une redondance entre SN et clitique sujet, et déplorer « l'absence de logique » du locuteur. Mais on peut aussi dire que, tandis que le clitique sujet est obligatoire aux première et deuxième personnes, il n'est obligatoire à la troisième qu'en l'absence de SN. On évite alors une présentation péjorative du phénomène, et l'on ouvre sur une comparaison du français avec les autres langues romanes.

Notre troisième commentaire a trait à l'histoire de la langue. On connaît les aléas à travers lesquels s'est fixée la norme du français et comment, au moins sur certains points, les grammairiens ont pratiqué des interventions : taillant dans le vif des potentialités, faisant revivre des formes en voie de désuétude, toujours excluant. La langue que l'on connaît aujourd'hui, sous sa forme standard et sous sa forme non standard, est donc le produit d'un équilibre aléatoire entre le cours naturel de l'évolution et les logiques des interventions. Si système il y a encore à trouver, cela ne peut se faire que compte tenu de l'ensemble des formes existantes. L'idée à retenir est celle d'un super-système, qui couvre à la fois standard et non-standard, qui puisse rendre compte de ce que les usages même les plus éloignés du standard ont en commun avec lui un ensemble de régularités, et qu'ils ne diffèrent parfois que par l'extension du domaine d'application de certaines règles.

1.3. Les données de français ordinaire

Nous avons parlé jusqu'ici de données de variation relevant de différents ordres (diatopique, diastratique et diaphasique — à quoi nous avons ajouté la différence entre dimensions de l'oral et de l'écrit), mais nous n'avons pas cherché à définir plus précisément l'origine des données que nous rassemblons ainsi.

Pourtant, la confusion est telle dès que l'on quitte le champ de la langue balisée par les grammairiens, langue standard, tendant vers l'écrit (ou plus souvent neutralisée du point de vue de la distinction entre oral et écrit) et relativement homogène[31], qu'il s'avère indispensable d'apporter quelque précision sur notre objectif[32].

Une première zone de confusion concerne le rapport entre langue non standard et langue orale : les deux ne se recouvrent pas. On peut écrire une langue non standard (voir le corpus de Frei), et la plupart des productions orales, dès qu'elles sortent de la sphère de la conversation intime, n'ont rien de particulièrement non standard[33].

Une deuxième zone concerne la confusion entre « populaire » et « familier », favorisée, comme on l'a vu, par le fait que ce sont en grande partie les mêmes phénomènes linguistiques qui sont en jeu dans l'ordre diastratique et l'ordre diaphasique[34].

La troisième zone est la difficulté de tracer une frontière entre oral et familier[35].

Ce sont de telles difficultés qui ont incité Frei (1929) à recourir au terme global de « français avancé », ou GEHLF (1992), Groupe d'Épistémologie et d'Histoire de la Langue Française, à parler de « français non conventionnel », l'expression recouvrant tous les faits de langue qui ne se soumettent pas à la norme. L'expression « non standard », empruntée à la tradition anglo-saxonne, relève du même projet.

2. L'étude de la variation

Des travaux d'origines variées se sont intéressés à la diversité des formes linguistiques en relation avec la diversité sociale. Les évoquer ici va nous permettre de reprendre, en les systématisant, des phénomènes décrits de façon éparse.

2.1. Les fonctionnalistes

Le linguiste suisse Henri Frei[36] constitue, à l'intérieur du structuralisme, un courant de recherches tout à fait original. Il se donne comme héritier de Saussure, mais il s'en distingue par une perspective fonctionnaliste (qu'il oppose à l'attitude « normative » de Saussure). Pour lui, il existe quelques grands besoins humains, qui gouvernent les distorsions occasionnelles ou systématiques que connaît une langue, jusqu'au changement qui finira par en advenir. Ces besoins se manifestent tant sur le plan syntagmatique que sur le plan paradigmatique :

— *L'assimilation,* dont la manifestation syntagmatique est le « *conformisme* » et dont la manifestation paradigmatique est l'*analogie*. L'assimilation phonologique, l'accord, la concordance des temps, la concordance des modes sont des effets du conformisme grammatical, qui permet aussi de comprendre les énoncés suivants :

31. Voir Berrendonner (1982).

32. Voir Blanche-Benveniste & Jeanjean, 1987, pour une énumération de toutes les confusions qui encombrent le domaine, et Gadet, 1996 a, pour l'étude de la concentration de confusions portée par la notion de « niveaux de langue ».

33. Voir François (1973), Valdman (1982).

34. Voir Guiraud (1969).

35. Voir Luzzati & Luzzati (1986).

36. Son ouvrage majeur, *La Grammaire des fautes,* de 1929, garde une pertinence et un intérêt remarquables. Il y met en œuvre une méthode d'observation et de dépouillement assez rare dans la tradition française. La terminologie de Frei n'est pas toujours évidente. Nous la donnons entre guillemets, avec éventuellement un équivalent s'il nous semble plus clair.

(12) son usage dépend du sujet et de la situation dans lequel il se trouve (écrit)

(13) qu'est-ce qu'elle est belle en verte

(14) il faudrait qu'il viendrait (régional, Nord et Ouest)

Les effets de l'analogie sont bien connus, autant en phonologie qu'en morphologie, syntaxe ou lexique :

(15) *aéropage*, sur le modèle de *aéroplane*

(16) ils rièrent de bon cœur (alignement des temps rares à l'oral sur la conjugaison des verbes du premier groupe)

— La « *différenciation* », ou recherche de la clarté, est la contrepartie de l'assimilation : on différencie pour combattre l'équivoque. De nombreux faits d'évolution y répondent, comme le grossissement des mots courts (*cinq* prononcé [sɛ̃k], même quelquefois devant consonne), ou comme :

(17) [ikrwa] / [ikrwaj] ou [ikrwav]

(17') il croit / ils croient

(18) va chercher le journal pour moi lire (ex. de Frei)

(19) quelles que seront l'ampleur et les modalités de ces accommodements… (écrit)

(20) c'est son livre à lui

En (17), une consonne supplémentaire permet de distinguer le pluriel, phoniquement semblable au singulier. En (18), un pronom rend explicite le sujet de formes qui n'en comportent pas. En (19), le futur de l'indicatif permet de situer un événement dans le futur, ce que le subjonctif attendu ne précise pas. En (20), la reprise du pronom de troisième personne vient préciser le sexe du possesseur (comparer *his* et *her* en anglais).

— L'« *économie* », manifestée syntagmatiquement dans la « *brièveté* » (ou abrègement), et paradigmatiquement dans l'« *invariabilité* ».

Manifestations de brièveté :

(21) en brisant la glace, la porte s'ouvre

(22) à Paris moi je suis très pieds (= je marche volontiers à pied)

(23) je suis désolé de le dire alors qu'il est déjà parti / j'aurais voulu le lui dire présent (alors qu'il était présent)

(24) structuraliste / en tout cas / Lacan / il se le dit (= il dit qu'il l'est, forme au croisement de *il se dit structuraliste*, et *il le dit, qu'il l'est*)

Manifestations d'invariabilité :

(25) i sont déjà fané les fleurs que je vous ai offert ? (invariabilité de genre — le nombre étant oralement indécidable, je ne note pas l'accord sur *fané* et sur *offert*)

(26) les femmes, ça veut toujours plus qu'on leur donne (ex. de Bauche, invariabilité de genre et de nombre)

De telles neutralisations morphologiques se rencontrent dans l'usage québécois (qui reproduit une forme de français classique) du déterminant *ce* ou *cette* prononcé [stə], sans distinction entre masculin et féminin (usage actuellement regardé comme populaire en français de France). On les trouve aussi dans certains emplois de l'adjectif :

(27) idiot / cette histoire

(27') c'est idiot / cette histoire

C'est aussi comme effet d'invariabilité que l'on comprendra :

(28) nous / on préfère partir (*on* tendant à remplacer *nous* en sujet, la première personne du pluriel vient s'aligner sur les autres personnes sans désinence orale : *vous* demeure la seule exception)

(29) c'est moi qui l'a vu le premier

(30) la différence qu'il existe entre ces deux interrogations (écrit, restaure la forme et l'ordre des mots de la phrase simple)

La parataxe peut également être entendue comme une manifestation d'invariabilité, par l'alignement qu'elle permet sur la phrase simple :

(31) je crois y a quelque chose vous êtes passé à côté

— L'*expressivité*, destinée à « agir contre l'usure sémantique » : c'est un procédé bien connu dans l'évolution du lexique. En syntaxe, il donnerait surtout lieu à des structures qu'on appelle précisément « expressives », comme :

(32) moi / les enquêtes de terrain / bof

(33) ça / pas question tu vois

(34) des trucs pareils pour des mômes / franchement / qu'est-ce qu'on voit pas

Toute distorsion peut ainsi être vue comme un procédé de « réparation » (ou compensation) répondant à un « déficit » structurel. Le grand avantage de cette présentation est d'arracher la faute à l'aléatoire et à la « mauvaise maîtrise de la langue ».

Elle appelle cependant quelques remarques. Conformisme, analogie, différenciation, brièveté, invariabilité et expressivité ne jouent évidemment pas de façon toujours harmonieuse, et la forme qui va effectivement apparaître n'est pas prévisible. Ainsi de l'exemple (35) :

(35) vous savez pas dans quel bureau travaille-t-elle ?

On peut expliquer cette forme par invariabilité (alignement des interrogatives indirectes sur les directes), mais aussi par différenciation (distinguer l'interrogation de l'assertion). Mais une même résultante d'invariabilité (à partir de l'ordre des mots de la séquence assertive simple) ou de différenciation pourrait être obtenue avec la phrase (35'), attestée elle aussi. Il est alors difficile de comprendre pourquoi l'une des tendances va l'emporter sur l'autre :

(35') vous savez pas dans quel bureau elle travaille (ou : qu'elle travaille) ?

Ce modèle a également l'inconvénient de n'expliquer les tendances que par des raisons internes au système. Or, l'exemple suivant montrera que ceci est insuffisant pour expliquer un changement :

(36) tu veux-ti ?

En 1920, le grammairien Vendryès donne ce type d'interrogation comme susceptible de s'imposer : « C'est le symbole unique de l'interrogation, dont la langue française avait besoin » (p. 192). Effectivement, le parallélisme *je viens / je viens ti / je viens pas*, permis à la fois par le passage à l'interrogation sans inversion et par la chute du *ne* de négation, est une parfaite illustration du principe d'économie. Pourtant, soixante ans plus tard, on peut affirmer que cette forme n'a pas réussi à s'imposer.

En étudiant ainsi l'équilibre interne du système, la perspective de Frei vise, à travers ce qu'il appelle le « français avancé », à comprendre l'ensemble de la langue française et, de façon générale, le fonctionnement des langues[37].

Cependant, il semble bien y avoir un décalage entre l'expression de tendances plus ou moins psychologiques très générales et l'extrême souplesse des formes de langue. Aussi, malgré le caractère séduisant de cette perspective ouverte par Frei, très peu de travaux ont poursuivi dans cette voie, et ils adoptent généralement une perspective plus directe-

37. Martinet reprendra cette perspective, avec quelques différences : ses travaux concernent essentiellement la phonologie, son fonctionnalisme n'est pas téléologique, et il ouvre sur la détermination par le social. Les ouvrages dans la perspective qui nous concerne ici sont surtout ceux de 1955 et 1969.

ment linguistique, comme Berrendonner (1988), Chaudenson *et al.* (1993), ou Leeman-Bouix (1994).

2.2. La linguistique variationniste

Labov, formé par Weinreich, lui-même héritier à la fois de la dialectologie et de la tradition structuraliste européenne, est influencé par le fonctionnalisme, dont il rejette cependant le finalisme, mais auquel il saura ajouter une dimension sociale systématique.

On peut saisir la cohérence de son œuvre dans les critiques qu'il adresse aux linguistiques « homogénéisantes », et en particulier à ce qu'il appelle le « paradoxe saussurien » : la « langue », si on la cherche dans la communauté, se dissout dans l'inanalysable de la variation individuelle ; on en arrive donc à ce paradoxe qu'un phénomène de nature sociale ne puisse se saisir que chez l'individu. Labov souhaite casser le lien entre système et invariant : pour étudier la langue dans la communauté, il s'appuiera sur des données fournies par des enquêtes, renouant ainsi avec une tradition de dialectologie.

Il semble difficile de présenter les travaux de Labov sans faire une distinction entre deux périodes[38].

La première période constitue le prototype de la sociolinguistique covariationniste, avec l'enquête de Martha's Vineyard (exposée page 114, § 3.2.), et une enquête sur New York avec des postulats à peu près semblables. Pour comprendre un changement en cours ou une variation, Labov met en rapport la causalité structurale et la causalité sociale qui fait peser des pressions sociales sur l'histoire de la langue. Ceci le conduit à analyser la variation comme limitée à certains domaines : à des zones variables s'opposent de nombreuses zones stables. Ce qu'il représentera ultérieurement au moyen de règles, en opposant les règles catégoriques (automatiques, jamais violées, non conscientes pour les locuteurs, et ne faisant pas l'objet d'une évaluation sociale), aux règles semi-catégoriques et aux règles variables[39].

C'est Labov lui-même qui apportera des critiques à ce premier modèle, auquel il reproche de manquer l'essentiel de la réalité sociale vivante, tant sur le plan linguistique que sur le plan social. La forme de l'enquête par questionnaire fait passer le linguiste à côté de la « langue de la vie quotidienne », et le simplisme de la hiérarchisation sociale exclut la perception d'enjeux conflictuels dans les rapports sociaux. C'est finalement dans les à-côtés de l'enquête que Labov perçoit quelque chose des mécanismes sociaux, ce qui le conduit à mettre au point un nouvel appareil théorique et méthodologique.

L'enquête sur New York conduit en effet à réévaluer le rôle de la dimension stylistique, jusqu'alors traitée comme étant du même ordre que les autres : la dimension stylistique (style surveillé ou spontané) est celle de l'attention prêtée par le locuteur à son propre langage. De la remarque selon laquelle la présence d'un observateur étranger au groupe d'égaux a pour effet d'augmenter l'attention (paradoxe de l'observateur), et donc le caractère surveillé des productions, Labov conclut qu'il existe un style particulièrement typique de chaque groupe : le vernaculaire, langage spontané qui n'est utilisé qu'entre pairs linguistiques, et qui seul est systématique. Tout contact avec le dialecte

38. C'est ce que fait en particulier Encrevé (1976), dans son introduction à la traduction française des travaux de Labov. En réinterprétant Labov à la lumière de la théorie sociologique de Bourdieu, il cherche à lui donner une véritable ossature théorique.
39. Voir Labov (1974).

dominant porte atteinte à l'intégrité du vernaculaire, et le désorganise sous la pression de la norme, produisant quelque chose qui n'est plus le vernaculaire mais ne peut être vraiment la norme, donc quelque chose qui donne l'impression d'une variation irréductible et aléatoire. Cette remarque aura une retombée sur l'analyse de la relation d'interview, qui comporte un enjeu social capable de modifier les conditions de l'observation. Si la présence de l'interviewer fait varier la production vers la norme, c'est parce qu'il est perçu comme détenteur de la légitimité.

La prise en compte de la dimension du vernaculaire va modifier à la fois la forme de l'enquête et la conception de la langue. Forme de l'enquête : questionnaires et interviews sont abandonnés au profit de « l'observation participante » inspirée de la méthode ethnologique, qui suppose la disparition de l'observateur en tant que tel et la participation d'un observateur-participant à la vie du groupe. Conception de la langue : plus question de n'observer que quelques phénomènes, même formant système entre eux, il faut comprendre comment le tout s'organise, et Labov, se référant désormais au modèle de la grammaire générative, parlera de « grammaire ». L'appareil théorique de la grammaire générative n'offrant pas les moyens de traiter de la variation, il proposera d'ajouter des « règles variables », capables de tenir compte d'une application conditionnelle (conditionnée par des facteurs linguistiques et / ou extra-linguistiques).

On retiendra de Labov l'une des rares tentatives pour appréhender la langue dans un cadre social qui tienne en même temps compte des structures de la langue, même si la combinaison de zones stables et de zones variables retrouve quelque chose de la fixité reprochée à Saussure, dont la contrepartie pourrait se trouver dans le rêve d'un mythique degré zéro de la surveillance sociale, l'introuvable vernaculaire.

Labov n'a pas eu de réels continuateurs sur le français de France, et s'il a eu une influence en France, c'est en un sens très large concernant l'intérêt de sa position théorique et de sa méthodologie, qui ont indirectement inspiré de nombreux travaux, en redonnant de l'intérêt à une perspective autre que de linguistique purement interne. Ces travaux seront évoqués au fur et à mesure des questions abordées dans l'ouvrage.

On voit donc quels sont les outils dont dispose une étude grammaticale de la diversité linguistique. Compte tenu des apports historiques de la sociolinguistique et de la sociologie du langage, de la dialectologie et de l'ethnographie, de sa relation critique avec le structuralisme et la grammaire générative, des apports des modèles statistiques et probabilistes, on peut la faire reposer sur les opérations suivantes :

— décrire, selon des pratiques de distribution ou de manipulation ;
— compter : faire des statistiques sur les probabilités d'occurrence ;
— expliquer : mettre des faits en rapport les uns avec les autres.

CHAPITRE 3

LES DONNÉES : DU RECUEIL AU PREMIER EXAMEN

Notre objet étant ici la langue ordinaire, nous manierons beaucoup plus souvent la langue parlée que la langue écrite, quoique les exemples écrits ne soient pas *a priori* mis à l'écart. Il vaut donc la peine de s'arrêter quelque peu aux problèmes que les données orales (leur recueil, leur perception, leur transcription, leur premier abord) ajoutent aux problèmes que peuvent poser toutes données de langue.

1. Le recueil

On peut débattre, en fonction du but recherché (à la fois linguistique et sociolinguistique), de l'intérêt de telle ou telle méthode de recueil de données orales : enquête, interview, questionnaire, micro caché, écoute de hasard, observation systématique, observation participante...

Labov lui-même a pratiqué successivement plusieurs modes de recueil (1972 a et b) :

— avec un enquêteur qui dit ce qu'il fait (Martha's Vineyard) ;

— avec un enquêteur qui se laisse prendre pour un homme ordinaire (les grands magasins, préenquête sur New York) ;

— l'enquêteur est truqueur (New York, quand le micro reste branché après l'interview) ;

— l'observateur est partie prenante dans l'interaction (ghetto de Harlem, par l'intermédiaire d'un jeune homme noir).

Chaque mode de recueil comporte ses limitations intrinsèques et nous n'y échappons pas. Notre but étant de décrire le maximum de phénomènes formels, nous avons eu recours à différents types de recueil (voir liste en fin d'ouvrage). L'avantage de cette méthode est l'abondance et la variété des données. L'inconvénient est leur manque de systématicité, puisque l'on est à cheval sur plusieurs usages. Prenons un exemple, concernant le subjonctif. Nous avons les deux exemples suivants, recueillis au hasard de contacts personnels, de deux locuteurs différents :

(1) je n'ai jamais compris comment ces garçons n'aient pas fait carrière

(2) c'est drôle que les gens i(l)s ont peur des UVA comme ça

Un cas d'extension de l'application du subjonctif, et un cas de remplacement par l'indicatif. Qu'en dégager, si l'on ne rapporte pas chacun de ces énoncés à sa source, à ses conditions de production, à son environnement linguistique et aux autres particularités de l'idiolecte de chacun des locuteurs ? On comprend, faute d'études systématiques, que puisse continuer à être affirmée une chose et son contraire (par exemple, pour le subjonctif présent, qu'il tend à disparaître ou à s'étendre).

Il faudrait donc pratiquer des enquêtes méthodiques et décrire des usages systématiques ; néanmoins, ce ne sont pas les objectifs que se fixe cet ouvrage.

2. L'écoute

Ce problème est bien connu des linguistes, et abondamment traité dans un grand nombre d'ouvrages[40].

Nous écoutons mal, parce que telles sont les conditions du déroulement ordinaire de l'échange langagier : nous sommes disposés à entendre ce que nous attendons ou croyons vraisemblable, à reconstituer du sens à partir de quelques bribes que nous saisissons, et à oublier ce qui ne semble pas devoir en constituer.

Goffman[41] a tenté de cerner ce qui, de ce point de vue, faisait du langage une compétence spécifique : « Un « écouteur » naïf n'entend pas les « fautes » comme les répétitions, etc. [...] La compétence de langage semble différer des autres compétences humaines sur ce point : les autres compétences ne semblent pas avoir cette capacité à éliminer régulièrement les « fautes » mineures. »

Mais les difficultés d'écoute ne sont pas liées seulement à la participation à l'échange, car on s'aperçoit qu'il est aussi problématique d'écouter un enregistrement au magnétophone, dans la mesure où celui-ci ne pratique pas entre les sons la sélection que seule l'oreille humaine est capable d'instaurer.

Aussi, même les transcripteurs expérimentés peuvent-ils constater des divergences entre leurs écoutes. De plus, un même transcripteur, à écouter et réécouter une bande, n'y entend pas toujours exactement la même chose.

Un échange à plusieurs interlocuteurs ajoute des difficultés spécifiques sur la répartition des segments : il n'est pas toujours facile de repérer les limites dans un chevauchement de paroles.

Pour la perception de la matière linguistique, les « difficultés d'écoute » sont nombreuses, mais il est des segments qui, croisant proximité phonologique et équivalence grammaticale potentielle, constituent des points particulièrement délicats. Nous allons en présenter quelques-uns.

Les vraies difficultés d'écoute concernent une différence grammaticale qui repose sur la présence / absence d'un son, ou sur la distinction entre deux sons proches :

— [n] de négation pouvant être confondu, par exemple, avec un [l] :

(3) [ilvjɛ̃pa] / [invjɛ̃pa] ([n] et [l] ayant des points d'articulation très proches)

— la différence entre *ce que* et *est-ce que* :

(4) je sais pas ce qu'il veut

(4') je sais pas est-ce qu'il veut

— perception des voyelles, par ex. [e] / [ɛ] / [ə] :

(5) ça a donné / ça donnait

(6) je dis / j'ai dit

(7) il n'a pas reçu de garantie / il n'a pas reçu des garanties

---

40. Dont un relevé minutieux est présenté dans Blanche-Benveniste & Jeanjean (1987).

41. Goffman (1981), p. 207.

— perception d'un *de*, spécialement quand il est réduit au seul son [d], où il risque d'être assimilé à la consonne qui suit :

(8) ce que j'ai préparé / ce que j'ai de préparé (= [skəzɛtprepare])

— perception de géminées :

(9) elle a dit / elle l'a dit

— perception d'un *que*, spécialement quand il est réduit à [g] ou [k] :

(10) faut pas que tu parles / faut pas tu parles

Il n'est pas surprenant de rencontrer là des points qui, entre français standard et français familier, constituent des enjeux grammaticaux de la description.

Aux « difficultés d'écoute » intrinsèques, il faudrait ajouter des cas que l'on pourrait appeler d'« attente idéologique » : on est prêt à créditer les locuteurs favorisés de productions valorisées, à les dénier aux autres et à ne pas entendre les « fautes » chez les locuteurs légitimes :

— la perception d'un *ne* de négation : on tend à l'entendre chez certains, et à l'effacer chez d'autres ; le problème ne surgit que dans une notation orthographique, la présence du *ne* ne pouvant être distinguée d'une liaison obligatoire :

(11) [ɔ̃napapypartir]

(11') on n'a pas pu partir / on a pas pu partir

— la perception d'une faute d'accord, si elle repose sur la distinction entre deux voyelles assez proches :

(12) la façon dont les comptes rendus sont faits ont de quoi inquiéter (d'abord perçu comme : *a de quoi inquiéter*)

— la difficulté pour reconnaître des constructions verbales inhabituelles :

(13) je prévoyais partir / je prévoyais de partir ([prevwajɛtpartir])

(14) il s'est divorcé (usage méridional) / il est divorcé

(15) elle tient ce type / elle tient à ce type

— la redondance *nom* + *pronom*, particulièrement difficile à percevoir après voyelle et quand le pronom est prononcé sans [l] devant consonne :

(16) mon chat chéri i(l) miaule / mon chat chéri miaule

Que ce soit à la lumière de l'ensemble du système que l'interprétation d'une écoute doive s'imposer, nous en prendrons un exemple, une séquence que nous avions transcrite en phonétique faute d'en comprendre les composants grammaticaux :

(17) sa paye, c'était sa mère [kilɑ̃prɔfitɛ]

L'orthographe offrait en effet deux interprétations :

(17') qui l'en profitait

(17") qu'il en profitait

(17') proposait une hypothétique analyse du verbe *profiter* sur le modèle de *priver*, sans autre justification, et (17") se présentait comme une relative de français populaire. Avec une meilleure connaissance de l'idiolecte de la locutrice, nous avons constaté qu'elle faisait un usage neutralisé du pronom personnel (comme il est d'ailleurs courant dans l'usage populaire parisien), et nous avons adopté la deuxième analyse, qui fait de *il* une reprise de *sa mère*.

3. La notation (transcription) ou : comment présenter de l'oral par écrit

La notation de l'oral par écrit constitue une contradiction irréductible : l'écrit ne présentera jamais qu'une image approximative de la réalité linguistique orale ; cependant, cette épure est indispensable, car nos habitudes de perception ne nous permettent pas de travailler ce qui atteint l'oreille sans le mettre à la portée de l'œil[42]. Les linguistes discutent d'ailleurs sur les avantages de tel mode de transcription par rapport à tel autre, mais jamais sur la nécessité même d'une transcription.

De nombreuses raisons frappent d'emblée toute transcription d'imperfection et d'incomplétude :

— une notation graphique est nécessairement discontinue (phonèmes, mots, groupes ou phrases), pour représenter ce qui se présente oralement comme un flux ;

— transcrire, c'est toujours choisir ou interpréter : « ce qui se perd dans la transcription, c'est tout simplement le corps » écrit Barthes (1981) ;

— « les conventions graphiques mettent trop d'ordre dans un domaine où la langue parlée a des mécanismes complexes et mal connus » (Blanche-Benveniste et Jeanjean) ;

— l'oral est enchevêtrement de segmental et de suprasegmental, que l'écrit ne peut que dissocier dans ce qui apparaît comme un cumul (d'ailleurs métaphorisé dans les désignations mêmes) ;

— il n'y a pas de système de transcription idéal : c'est à la fois le public visé et l'objectif de la recherche qui peuvent dicter un choix, entre les deux pôles de la fidélité et de la lisibilité. C'est pourquoi, au cours de l'ouvrage, nous n'hésiterons pas à passer de l'un à l'autre.

3.1. Transcription orthographique (T1)

Son avantage essentiel est de maintenir une lisibilité totale, au plus près de nos habitudes de lecture. Pour le reste, on sait à quel point l'orthographe (spécialement française) masque le fonctionnement de l'oral : « La graphie traditionnelle masque en effet plus que d'autres écritures la spécificité de l'oralité : elle est si profondément inscrite en nous qu'elle détermine des erreurs de perception » (Houdebine, 1979a).

La transcription orthographique offre l'avantage, aux niveaux morphologique, syntaxique ou discursif, de faciliter le repérage des phénomènes, grâce au découpage en mots ; mais l'inconvénient corrélatif d'obliger à choisir une segmentation quand plusieurs sont possibles :

(18) qu'il a / qui l'a / qu'il l'a

Pour les cas de ce type, une pluritranscription constitue finalement la moins mauvaise solution, si l'on veut éviter de trancher trop vite.

Cependant, les choix qu'impose cette transcription peuvent conduire à raisonner. Ainsi :

(19) [japado]

pour lequel la tradition nous offre la transcription orthographique :

(19') y a pas d'eau (souvent *y'a pas d'eau*, sans que l'apostrophe se justifie)

est-elle juste ? ou faut-il lui préférer (19"), non attestée pour des raisons de graphie :

(19") i a pas d'eau

Un argument pour adopter (19") est que le français ne connaît pas de phrases sans sujet. Cependant, au vu de (20), nous décidons de maintenir (19') :

42. Les réflexions sur les problèmes de la transcription sont assez nombreuses. Voir, par exemple, François (1974), Houdebine (1979 a), Leroy (1985), Blanche-Benveniste & Jeanjean (1987) et Thibault & Vincent (1988). Mais aussi Barthes (1981).

(20) faut dire qu'i sait pas lire

(19') et (20) montrent que le sujet impersonnel peut être supprimé devant certains verbes.

Nous ne parlons ici que de transcriptions orthographiquement méthodiques, non des orthographes fantaisistes auxquelles la littérature nous a habitués[43] (dialogues romanesques, romans populaires, romans policiers, bandes dessinées...) : par exemple, *i(l)* transcrit *y* (on le trouve partout), ou même (bandes dessinées), *e(lle)* transcrit *eh*. Ces transcriptions, où il est patent que la raison grammaticale n'est pas intervenue, ne peuvent s'expliquer que comme le refus de tracer des formes qui n'existent pas graphiquement : à des monstres graphiques, on préfère des monstres grammaticaux (*eh* comme sujet !), du moment qu'ils respectent les exigences orthographiques hors contexte.

3.2. Transcription orthographique aménagée (T2)

Il ne s'agit pas ici des approximations présentées dans les transcriptions littéraires, mais d'aménagements proposés par des linguistes (comme Leroy, 1985, ou Thibault & Vincent, 1988), dans l'intention de conserver la lisibilité de la notation orthographique tout en indiquant quelques traits, qui sont de fait surtout des effacements de sons :

(21) i(l)s arrivent (notation Leroy)

(22) quat(re) ou cinq (notation Leroy)

ou des prononciations inattendues :

(23) je les ai fait' bien rire là (notation Thibault & Vincent : dans l'usage québécois, on rencontre ainsi des consonnes finales prononcées devant consonne).

Ces notations comportent des avantages évidents par la lisibilité immédiate (nous y aurons d'ailleurs recours de temps en temps), mais elles présentent aussi des inconvénients notoires :

— elles peuvent être lourdes à encoder et à décrypter (ainsi est-il facile et agréable de lire la prononciation courante de *parce que* sous la forme *pa(r)c(e) que* ?) ;

— elles font appel à un savoir supposé partagé sur la langue : jusqu'où peut-on aller ? s'arrêter à la phonologie, ou continuer pour la morphologie et la syntaxe ? cela aurait-il un sens de mettre un *ne* de négation entre parenthèses ? (ce qu'à notre connaissance personne n'a proposé de faire) ;

— du même coup, elles désignent une forme comme écart, et risquent donc de la frapper d'un jugement de valeur négatif.

Blanche-Benveniste et Jeanjean vont jusqu'à parler de « trucage », et choisissent de rester toujours au plus proche de la forme standard, quitte à accompagner la transcription d'un commentaire d'ordre phonétique.

3.3. Transcription phonétique (essentiellement API) (T3)

L'API a de nos jours complètement supplanté tous les autres systèmes, sauf commodité typographique.

43. Pour ce que ces transcriptions peuvent laisser passer d'idéologie sur la langue voir Mazière (1988 et 1993) et pour les problèmes de transcription de l'oral dans la littérature voir Vigneault-Rouayrenc (1991), surtout à propos du e muet, mais pas seulement.

Le grand avantage d'une transcription phonétique est d'instaurer une relation univoque entre oral et écrit : il n'y a jamais qu'un seul signe pour représenter un son donné, ce qui met à distance la graphie traditionnelle. Elle permet aussi de ne pas segmenter les mots, conformément à la chaîne orale, mais de respecter au moyen d'un blanc les groupes de souffle tels qu'ils ont été produits par le locuteur. Elle est évidemment indispensable pour toute visée phonologique.

Ses inconvénients sont sa lourdeur (d'encodage et de décodage : même pour un linguiste, elle reste peu naturelle et longue à établir), une lisibilité restreinte, le fait qu'elle soit peu adaptée au clavier d'ordinateur, et la façon dont elle voile partiellement les phénomènes syntaxiques (par exemple *que*, facilement identifiable dans l'orthographe, peut être réduit aux seuls sons [k] ou [g] dans la transcription phonétique).

3.4. La ponctuation

Il n'y a naturellement pas de ponctuation à l'oral. Le suprasegmental, quelquefois donné comme son équivalent, repose sur un tout autre fonctionnement. Quel que soit le système de transcription adopté, il est donc évident qu'on ne doit pas l'accompagner de signes de ponctuation, ainsi libérés pour d'autres conventions, comme les suivantes, que nous utiliserons ici :

: (derrière une voyelle) allongement vocalique
/ pause brève
// pause plus importante
ʔ coup de glotte
< intonation montante (ouvrante)
> intonation descendante (fermante)[44]

3.5. Transcription intonative (T4)

On désigne de ce terme un peu trop restrictif une transcription qui donne à voir tout ou partie des aspects suprasegmentaux d'une séquence (l'intonation, l'accentuation, le rythme, le débit, les pauses, la quantité, pour ce qui concerne le français). Il est toujours possible (et indispensable pour l'étude d'un certain nombre de phénomènes syntaxiques) d'y recourir parallèlement à tout autre mode de transcription.

Elle est encore peu stabilisée dans les conventions (courbe, flèches, portées, désignation des niveaux), et difficile à faire sans appareils (la perception spontanée est peut-être encore plus trompeuse que dans le cas des phonèmes). Aussi est-elle encore peu pratiquée.

44. Principe de notation que nous empruntons à Deulofeu (1988).

3.6. Les configurations (T5)

Ce mode de représentation, dit aussi « analyse en grilles », mis au point par le Groupe aixois de recherche en syntaxe (GARS) d'Aix-en-Provence[45], répond au souci de rompre avec les habitudes de lecture qu'impose la linéarité spécifique qui est celle de l'écrit.

Lors de l'écoute, un sujet en effet ne reçoit pas tous les éléments dans leur succession linéaire comme étant linéairement enchaînés : il distingue ce qui fait progresser la chaîne (l'axe syntagmatique à proprement parler) en une succession d'emplacements syntaxiques, et tout ce qui, de l'ordre de la répétition, correction, reprise..., est une mise au point paradigmatique, dans un rôle syntaxique équivalent.

On met donc sur un axe vertical tout ce qui est « piétinement » en un même lieu syntaxique, pendant que la chaîne progresse de gauche à droite. Ce procédé typographique, qui constitue un premier pas vers une analyse grammaticale, présente l'avantage de « casser » l'effet de la linéarité écrite, dans laquelle le lecteur risque de se laisser enfermer par ses habitudes de lecture : on diminue ainsi l'impression de monstruosité produite par les accumulations.

3.7. Les informations extra-linguistiques (T6)

Tous les systèmes de transcription reconnaissent l'importance du rôle des informations extra-linguistiques, et donc la nécessité de les noter. Figureront donc en marge des renseignements concernant les déplacements des locuteurs, l'intervention de bruits non linguistiques, les gestes... ou tous renseignements qui peuvent faciliter la lecture.

3.8. Un exemple

Nous avons choisi quelques secondes d'un enregistrement téléphonique familier.

(T1) oh mais oui mais j'étais fatiguée la semaine dernière parce que oh j'avais plus l'habitude tu sais d'aller en cours d'écouter des cours et euh enfin j'ai très bien suivi c'était intéressant mais je suis rentrée fatiguée euh

(T2) oh mais oui mais j'étais fatiguée la s(e)maine dernière pa(r)c(e) que / oh / j'avais p(l)us l'habitude t(u) sais d'aller en cours d'écouter des cours et euh / (en)fin j'ai très bien suivi c'était intéressant mais j(e) suis rentrée fatiguée euh

(T3) ɔːmewimeʒetefatigelasmɛndɛrnjɛrpaskœ / o / ʒavɛpylabityd ʔ tsedaleãkuːr / dekutedekuːr / eœː // fɛ̃ʒetrɛbjɛ̃sɥiviseteɛ̃teresã / meʃʃyirãtrefatige / œ

(T4)

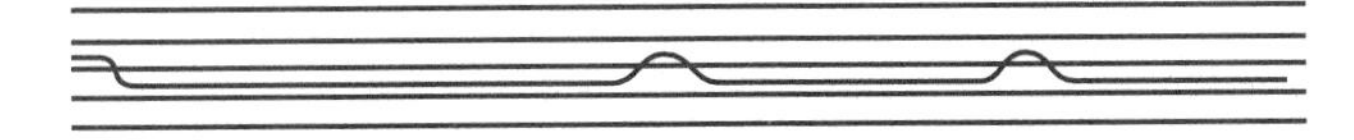

Oh mais oui mais j'étais fatiguée la semaine dernière parce que oh

45. Voir surtout Blanche-Benveniste et coll. (1982).

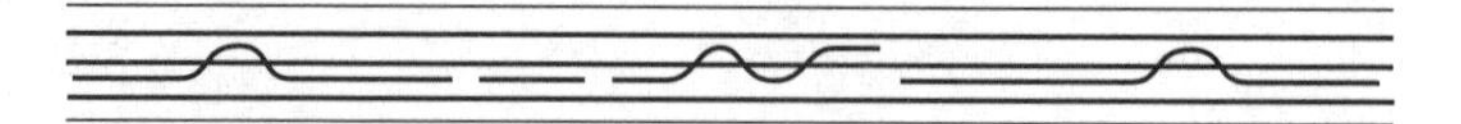

J'avais plus l'habitude tu sais d'aller en cours d'écouter des cours et euh

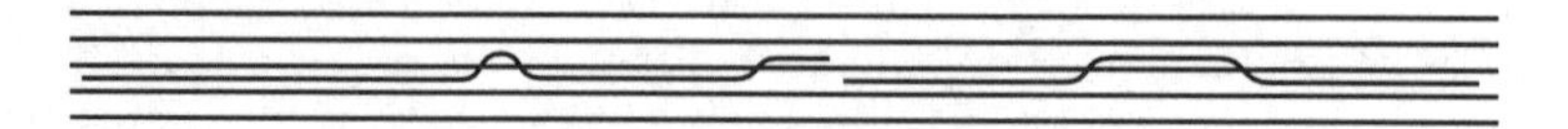

Enfin, j'ai très bien suivi c'était intéressant mais je suis rentrée fatiguée euh

(T5)
oh mais
oui mais j'étais fatiguée la semaine dernière parce que oh j'avais plus

l'habitude tu sais d'aller en cours
d'écouter des cours et euh enfin j'ai très bien suivi

Il est facile d'aménager, pour des besoins spécifiques, des mixtes entre les différentes notations : par exemple, (T2) peut être agrémenté de flèches indiquant les montées et descentes de la voix, ce qui peut donner (24), que par facilité typographique nous noterons désormais comme (24') :

(24) j'avais p(l) us ↑ l'habitude

(24') j'avais p(l) us < l'habitude

Si l'on s'est arrêté un peu longuement sur ces aspects apparemment techniques, c'est qu'ils permettent d'aborder de nombreux problèmes de description.

4. Spécificités matérielles de l'oral

Avec l'oral, on a affaire à un fonctionnement de la linéarité dont le ressort n'est pas du même ordre qu'à l'écrit. Sa manifestation essentielle est l'impossibilité d'effacer : il n'y a pas de retour en arrière possible et une modification ne peut se faire qu'à travers une accumulation[46].

4.1. Les « scories »

Cette impossibilité de corriger a pour conséquence une première apparence de l'oral comme accumulation d'éléments parasites que, par commodité et pour disposer d'un terme général, nous désignerons comme « scories », selon un terme de Imbs[47]. Nous désignons par là les caractéristiques communes à toutes les productions orales, que l'on rencontre aussi bien chez les adultes que chez les enfants, chez les gens cultivés que chez

46. Sur l'intérêt que peut présenter, de ce point de vue, la comparaison entre la langue parlée et un brouillon écrit, voir Jeanjean (1984).

47. Cité par Blanche-Benveniste (1984). Vincent (1986) parle de « stigmates ». On trouve aussi « bourre » ou « bourrage », qui ont l'avantage de comporter moins de jugement de valeur, mais dont l'usage ordinaire n'est pas facile.

les autres. Aussi les considérerons-nous comme des caractéristiques inévitables du déroulement de l'oral.

Est-il possible d'en dresser l'inventaire ? C'est ce que nous allons tenter de faire avec deux extraits de l'émission *Apostrophes*, en essayant de caractériser les phénomènes de la façon la plus formelle possible, pour éviter toute interprétation prématurée et tout jugement de valeur :

Texte 1 (PM)

bon c'est oui c'est la nostalgie de : / d'essayer de retrouver des bribes de de son passé à travers euh une ville comme celle qui / euh une ville en été qui est dé ʔ / Paris en été qui est déjà une ville qui est étrangère à elle-même parce que c'est le mois de juillet alors déjà / même si il habitait Paris alors déjà Paris lui semblerait euh étrange parce que s / en plus c'est ʔ c'est Paris euh : ʔ en été alors c'est un Paris très : / qui a l'air absent comme ça / désert / alors il essaie de retrouver des traces de choses d'il y a vingt ans et en plus c'est dans un Paris qui est complètement euh euh

Texte 2 (JCM)

oui effectivement je pense que : euh ʔ que ʔ en France je ne parle pas pour d'autres pays bien sûr euh je pense que étant donné le le l'histoire la structure euh à la fois euh intellectuelle et et sociale de ce pays euh euh la : euh les démocraties f ʔ la : les libertés formelles c'est-à-dire ce qui fait la démocratie euh passe par un certain nombre de références qui sont des références euh de l'ordre du savoir c'est-à-dire un certain nombre de dates un certain nombre de noms euh 1789 Voltaire enfin j'en passe et euh : ça fait une t ʔ énorme différence avec euh des pays ʔ disons à tradition protestante où euh si j'ose dire le ʔ la référence aux libertés est plus plus ambiante / et euh : le le le le le moyen institutionnel par lequel cette ce ce ce savoir essentiel / cet accès en quelque sorte à à à à l'image des libertés euh se se fait cette institution euh c'est véritablement l'école et je dois dire de façon principale l'école publique

Les deux locuteurs sont au début de leur prise de parole, au moment où leur discours va comporter le plus grand nombre de scories (c'est d'ailleurs pourquoi, quand on recherche le naturel dans une production, on évite de travailler sur les premières minutes d'une prise de parole — voir Fisher, 1958). PM est connu pour son élocution difficile, alors que JCM a fait à tous ses auditeurs l'impression d'un homme à l'aise dans sa langue qu'il manie même avec une certaine recherche.

On s'aperçoit vite, même sans poursuivre une étude qui s'appuierait sur la relation entre les scories et certains faits prosodiques comme les variations de débit, les ruptures de courbe intonative, les pauses et les allongements vocaliques, que les phénomènes sont en nombre assez limité[48] :

— les *euh*, hésitation ou remplissage ;

— les répétitions, portant la plupart du temps sur de « petits mots » (*le, et, plus, ce, à, se, de, c'est*...), parmi lesquelles on distinguera celles qui conduisent à la persistance (*le le le le moyen*) de celles qui aboutissent à une modification (*la les libertés formelles*) ;

— liée à la catégorie précédente, la correction de petits mots, qui peut modifier le genre, le nombre, le choix parmi les membres d'une catégorie ; du moins pour le présent

48. C'est pourtant là un type d'études spécialement peu développé. Ultime disgrâce de l'oral, mal accepté dans ce qui l'éloigne le plus de l'écrit ? Voir cependant Coste (1986 a et b), et, parmi les très rares études mettant ces scories en rapport avec le déroulement syntaxique, Blanche-Benveniste (1984 et 1987).

corpus, nous n'avons pas d'exemple de modification de catégorie, seulement des ajustements dans une option syntaxique ;

— la juxtaposition de mots pleins (*l'histoire la structure*), sans qu'il soit possible de savoir s'il s'agit d'une apposition, d'une précision ou d'une rectification ;

— les amorces, parmi lesquelles nous distinguerons les amorces avortées (*ça fait une t* ?) et les anticipations de quelque chose qui sera réalisé plus loin (*les démocraties f* ?, *parce que s* ?) ;

— les énoncés inachevés, qui ne seront jamais complétés (*je pense que : ; une ville comme celle qui*) ;

— les incises, qui peuvent être plus ou moins longues et comporter elles-mêmes des incises internes[49], parmi lesquelles on peut également distinguer les cas où la séquence de départ sera finalement rétablie et celles où elle ne le sera pas ;

— les phatiques et les ponctuants[50] (*en quelque sorte, si j'ose dire, disons...*), qui ont la caractéristique de ne pas être intégrés à la structure syntaxique et, sur le plan phonique, d'avoir une faible intensité et aucune autonomie mélodique ;

— les allongements vocaliques.

Toutes ces scories, dont aucun discours n'est jamais totalement exempt, n'influencent que peu l'impression produite sur les auditeurs, du moins tant que le débit les absorbe. En l'occurrence, c'est là une grande différence entre le discours de PM et celui de JCM.

4.2. L'oral n'est pas l'écrit

Outre les scories, les différences entre oral et écrit sont nombreuses. Il n'est cependant pas question pour nous d'exposer ici les termes de la distinction oral / écrit[51]. Nous ne ferons qu'évoquer des questions qui vont avoir des incidences sur nos analyses. Comme nous concevons la langue comme un système unique à deux manifestations, il nous semble nécessaire de préciser les rapports entre les deux ordres, de façon contradictoire.

Qu'il s'agisse d'un système unique, c'est là une question qui ne saurait se régler sans débat. On a en effet pu soutenir[52] que les différences entre forme écrite et forme parlée d'une même langue, et tout particulièrement du français, étaient telles que l'on devait aller jusqu'à parler de deux langues. Le débat peut donc prendre la forme : quels arguments peut-on avancer pour démontrer qu'il y a deux systèmes, ou qu'il n'y en a qu'un seul avec des manifestations et des extensions de règles différentes ?

Il y a en fait là deux débats différents[53]. Le premier concerne les économies sur lesquelles repose chacun des deux systèmes, au sens le plus matériel du terme : on touche

49. Étudiées dans le rapport entre prosodie et syntaxe par Delomier et Morel (1986).

50. Nous empruntons ses termes et sa classification à Vincent (1981 et 1986), qui distingue : les *phatiques*, émis par le locuteur (ouverture ou fermeture de conversation, parenthétiques permettant de conserver la parole) ou l'allocutaire ; et les *ponctuants*, qui soulignent une certaine structuration du discours, parmi lesquels elle distingue ponctuants de transition entre les parties, ponctuants de style et ponctuants sémantico-syntaxiques.

51. Voir Ambrose (1996) pour une importante bibliographie (qui complète celle que l'on trouve dans Blanche-Benveniste et Jeanjean, 1987), concernant les différents aspects en jeu dans cette distinction.

52. Il existe même une abondante littérature sur le sujet, que recensent Blanche-Benveniste & Jeanjean (1987). Pour une façon claire de poser le problème, voir Moreau (1977), qui conclut sans ambiguïté qu'il s'agit d'une seule langue.

53. Voir Gadet & Mazière (1988) pour le premier, Blanche-Benveniste & Jeanjean (1987) et Gadet & Kerleroux (1988) pour le second.

du doigt les différences entre les deux ordres en constatant les difficultés que l'on rencontre pour passer de l'un à l'autre. Les régimes de linéarité sur lesquels reposent écrit et oral ne sont pas les mêmes : plus spécifiquement spatiale pour l'écrit, plus spécifiquement temporelle pour l'oral, et ceci nous paraît constituer la différence essentielle, qui gouverne les modalités particulières du « faire-sens » de chacun des deux ordres. Toute une série d'observations en découle, comme la nécessité de tenir compte, pour l'oral, du rapport entre segmental et suprasegmental. Pour le reste, les deux manifestations sont de la langue, avec l'organisation que cela implique. Et si une conception naïve veut voir l'oral comme exclusivement syntagmatique, il nous apparaît que c'est en confondant la nécessaire illusion du locuteur qui pense que tout le sens provient du déroulement de sa chaîne parlée, et le travail du linguiste, sachant que qui dit « langue » dit qu'il y a de l'*in absentia*[54].

Le deuxième débat porte plus directement sur les formes linguistiques, il concerne l'étude de phénomènes qui divergeraient entre écrit et oral. Du point de vue phonologique, il est évident que les distinctions ne sont pas négligeables : le phonème face à la lettre, le flux sonore et le groupe accentuel face au mot... Mais il n'en est pas de même pour la morphologie et pour la syntaxe, car la grosse majorité des phénomènes grammaticaux est commune aux deux plans, et ce n'est qu'en hypertrophiant quelques phénomènes que l'on peut asseoir la thèse de deux langues différentes (voir Blanche-Benveniste, 1993b). Il n'y a aucun phénomène morphologique ou syntaxique dont on puisse dire qu'il est exclusivement réservé à l'oral, ou d'ailleurs exclusivement réservé à l'écrit (même un imparfait du subjonctif peut s'énoncer oralement).

Les formes divergentes ne sont pas en nombre suffisant pour conduire à poser deux systèmes. Il est vrai cependant que les régularités des deux ordres ne sont pas toujours exhibées de la même manière. Tout particulièrement pour la morphologie, l'examen du système parlé laisse apparaître des régularités qui ne sont guère visibles (ou plus complexes à établir) à l'écrit. Ainsi, par exemple, pour ce qui concerne le système verbal, l'oral permet d'établir des règles comme les suivantes, comportant moins d'exceptions[55].

1. Sauf pour les verbes *absoudre, haïr, avoir, asseoir, aller, être* et *faire*, toutes les formes de présent appartiennent à l'une des trois catégories suivantes :

— verbes pour lesquels la troisième personne du singulier (3S) et la troisième personne du pluriel (3P) sont semblables (ex. *travailler, fuir, rire, mourir, conclure...*) ;

— verbes pour lesquels 3P se forme par ajout d'une consonne à 3S (*finir, lire, dormir, suivre, vaincre...*) ;

— verbes pour lesquels 3P se forme sur 3S avec modification de la voyelle et adjonction d'une consonne (*savoir, craindre, venir, vouloir, pouvoir...*).

2. Dans l'interrogation par inversion, les graphies de 3P et 3S sont extrêmement variées (*aime-t-il, dit-il, vend-il, vainc-t-il, aiment-ils*), ce qui dissimule la généralité de la règle : il y a ajout de [t] entre verbe et pronom, avec apparition d'un e muet phonétiquement déterminé quand le groupe consonantique risque d'être trop chargé.

D'autres exemples seraient peut-être moins démonstratifs, mais ne pourraient qu'aller dans le même sens : une différence dans la lisibilité du système, mais un système unique.

54. Nous utilisons ce terme dans le sens que lui donne F. Saussure.
55. Nous empruntons ses résultats à Marty (1971).

Finalement, les très rares cas de phrases parlées qui ne sont pas des phrases écrites (sauf, évidemment, dialogue de roman ou de théâtre) concernent des tours particulièrement liés à des situations d'énonciation et soumis à une intonation bien caractéristique, comme par exemple :

(25) une bière ou je me tue

(26) moi / le Club Méditerranée / très peu pour moi

La seule vraie différence entre écrit et oral, c'est donc qu'ils ne mettent pas en œuvre les mêmes paramètres lors de leur énonciation.

Conclusion de la première partie

Nous allons étudier dans cet ouvrage des faits appartenant à des niveaux linguistiques différents : phonologie, morphologie et syntaxe. Il nous faut nous demander s'ils peuvent être traités dans les mêmes termes.

Les études les plus nombreuses, les plus systématiques, reposant sur les enquêtes les plus vastes concernent des phénomènes phonologiques. Faut-il en conclure que les autres niveaux linguistiques connaissent moins de variation ? qu'ils se prêtent moins à son étude ? qu'il est encore trop tôt pour les aborder ?

Labov[56], dans sa première problématique, a abordé cette question, en énumérant les critères qui, selon lui, sont requis d'un élément pour qu'il constitue une « bonne variable sociolinguistique » :

1) avoir une fréquence relativement élevée ;

2) être à l'abri de l'exercice conscient d'un contrôle de la part du locuteur ;

3) faire partie d'une structure plus large ;

4) pouvoir être quantifié sur une échelle linéaire.

Ces différents points ne constituent pas des critères de poids égal.

Les premier et quatrième points sont techniques : le premier concerne l'organisation de l'enquête permettant de recueillir les données (la taille d'un échantillon représentatif), et le quatrième la présentation des résultats. Aucun des deux ne touche au plan des structures de langue.

Le deuxième point met en jeu les relations entre variation et capacité de contrôle de la part du sujet, en proposant comme objet préférentiel des variables échappant le plus possible à la conscience du locuteur. Mais quelle valeur faut-il accorder à l'absence de contrôle ? Une aubaine pour le sociolinguiste qui va pouvoir « piéger » un sujet à son insu ? ou une dimension qui touche au statut de différents faits de variation ? L'absence d'une surveillance consciente peut signifier tout simplement que la variable ne fait pas l'objet d'une stigmatisation de la part d'un locuteur légitime.

Le troisième point est le seul à toucher à la structuration de l'objet. Phonologie, d'une part, morphologie et syntaxe, d'autre part, ne sont sûrement pas structurées de façons semblables, mais peut-on douter qu'il y ait également structuration ? La réflexion serait ici à faire porter sur la différence de nature de ces structurations.

Les exigences traitées dans ces quatre points correspondent beaucoup plus à des caractéristiques d'unités phonologiques que syntaxiques : elles tendent donc à faire de la variation phonologique le domaine idéal d'étude. Mais, si on s'arrête là, il semblerait que ce soit plus pour des raisons d'efficacité que pour des raisons de fond.

Il est en revanche un cinquième point qui aura l'effet décisif de distinguer radicalement les deux domaines : le rapport avec la signification. C'est un problème depuis longtemps posé par le structuralisme à propos des « variantes libres », qui ne sont « libres » que si elles ont le même sens. Or, les réalisations phonologiques (variables ou non) n'étant pas référentiellement signifiantes, des segments phonologiques différents peuvent très bien « dire la même chose ».

56. Une discussion sur les statuts respectifs de la phonologie et de la syntaxe vis-à-vis de la variation s'est développée, surtout dans le contexte nord-américain, avec des interventions de Sankoff (1973, repris *in* 1980), Lavandera (1978). Pour une présentation générale des enjeux du débat, sur des exemples en français, voir Godard (1992).

Mais il n'en va pas du tout de même en grammaire, où il est difficile d'affirmer que deux segments faisant usage d'unités différentes selon des combinaisons différentes ont bien le même sens, et sont des paraphrases l'un de l'autre.

De plus, le postulat selon lequel des variantes socialement structurées n'auraient pas la même signification a certaines conséquences idéologiques : si les classes sociales ne constituent pas leurs significations de la même manière, les différents modes de signification peuvent-ils être hiérarchisés en valeur ? sur quels critères ?

Nous retrouvons là des enjeux qui ont pu animer certains aspects du débat entre William Labov et Basil Bernstein ; Bernstein posant l'efficacité du « code élaboré » dans l'accès à certains savoirs, et Labov opposant la verbosité de la *Middle Class* à l'habileté verbale des classes populaires[57].

Que ce débat soit stérile, on l'illustrera avec la notion de « simplicité », par laquelle certains ont voulu opposer standard et non-standard, style soutenu et style relâché, écrit et oral, langue de culture et pidgin, sabir ou créole, et, pourquoi pas, langue des adultes et langue des enfants…

Pour la phonologie, on explique généralement l'apparition des variantes stigmatisées par une tendance au moindre effort qui conduit à une simplification, trait commun aux assimilations, dilations, simplifications de groupes chargés, chutes de phonèmes, contractions… Les variantes valorisées le sont en tant que formes non « dégradées », et probablement aussi parce que plus proches de l'écrit. Cependant, Kroch (1978) montre que ces processus de relâchement sont naturels (et généraux à toutes les langues), et que ce n'est donc pas tant la langue populaire qui relâche, que la langue normée qui s'efforce d'inhiber les processus de relâchement.

La morphologie et la syntaxe donnent lieu à des oppositions du plus complexe au plus simple. Mais que signifient « simple » et « complexe » ?

C'est surtout dans les travaux sur les pidgins et les créoles[58] que l'on a fait fonctionner ces termes. La simplicité y est conçue sous quelques traits (qui ne sont pas sans rappeler les « besoins » de Frei), parmi lesquels l'économie (nombre réduit de formes, invariabilité en genre, nombre, personne et temps, juxtaposition préférée à la connexion) et l'analycité.

On peut certes analyser ainsi certains traits de formes parlées, populaires ou pidginisées du français, mais on risque d'en venir à décrire à travers la langue l'opinion que l'on se fait du groupe qui l'utilise.

Il faut donc revenir à la question du sens, point clef de la différence entre phonologie et grammaire.

Considérer la langue sous l'angle de la constitution du sens dans le discours contraint à préciser la conception de la langue. Et là, on comprend sur quoi bute Labov. Labov, critique éclairé de l'homogénéisation que constitue la conception de la langue à l'œuvre dans le structuralisme, ne peut se déprendre de l'un des postulats essentiels du structuralisme : le traitement homologique des différents niveaux. Si une analyse fonctionne en

---

57. Voir en particulier « La logique de l'anglais non standard » (in 1972 a), texte militant pour lequel on a pu reprocher à Labov d'aller un peu loin dans la démonstration de la supériorité de l'expression des classes dominées.

58. Voir par exemple Ferguson (1971). Pour l'étude d'un exemple de français pidginisé, voir Hattiger (1983) sur le français parlé à Abidjan et l'exploitation qui en est faite dans Boutet (1988). Pour une étude classique s'interrogeant sur l'intérêt de la notion de « simplification » pour caractériser la langue populaire, Berruto (1983), qui porte sur l'italien mais qui, pour la plupart des traits étudiés, est immédiatement transposable au français. Pour le français, Gadet (1991).

phonologie, pourquoi ne fonctionnerait-elle pas à tous les niveaux, jusqu'à la sémantique ?

Nous ne traiterons donc pas de la même manière phonologie et syntaxe : nous aborderons la phonologie en considérant que l'hypothèse selon laquelle il s'y manifeste de la variation est productive, alors qu'elle nous semble mériter pour le moins discussion en morphologie et en syntaxe[59] ; *a fortiori*, mais cela dépasserait le cadre de ce livre, en lexique, en sémantique, en discours.

59. Nous citerons au fur et à mesure de nombreux travaux portant sur des points spécifiques, et nous n'allons évoquer ici que quelques tableaux généraux de la description du français, dans lesquels le point de vue de variation est important ou dominant : Guiraud (1965), François (1974), Désirat & Hordé (1976), Quemada (1976), Sauvageot (1978), Müller (1985), Berrendonner (1988), Walter (1988), Harris (1988), Fonagy (1989), Green & Ayres-Bennett (1990), Gadet (1992), Hausmann (1992), Sanders (1993), Blanche-Benveniste (1995), Mougeon (1995).
Ajoutons la référence à un texte sur l'italien, qui montre très bien ce qu'est une architecture descriptive à partir des pôles de la diastratie et de la diaphasie, et étudie un certain nombre de phénomènes précis qui, vue la proximité des deux langues, sont souvent très proches de ce qui se passe en français : Berruto (1993).

Deuxième partie

PHONOLOGIE

La phonologie est le domaine où a été pratiqué le plus grand nombre de recherches sociolinguistiques sur la variation ; c'est aussi la dimension la plus saillante et la plus « classante » de la langue.

Du fait du nombre limité des unités que ce plan met en jeu, c'est un domaine où il est envisageable de tendre vers l'exhaustivité. Les points de variation, assez divers, ne concernent pas de façon égale les champs des consonnes, des voyelles, de l'enchaînement des sons et de la prosodie.

Une réflexion sociolinguistique sur l'aspect phonique de la variation se situe à des points de carrefour de concepts : synchronie et diachronie (relation entre changement et variation), mais aussi phonétique et phonologie, car nous aurons à envisager les effets de la variation sur le système.

CHAPITRE 4

CARACTÈRES FONDAMENTAUX DU FRANÇAIS[1]

1. La syllabation et le schéma canonique

La syllabe se définit par la présence d'une voyelle (V) prononcée, avant et après laquelle se répartissent les consonnes (C). Le nombre de voyelles par syllabe est donc par définition limité à une seule, contrairement à celui des consonnes (ex. *strict*, [strikt] : une seule voyelle, cinq consonnes). Les syllabes appartiennent à deux types :

— syllabe ouverte (ou libre), de type *(C) V* ;

— syllabe fermée (ou entravée, ou couverte), qui comporte au moins une consonne finale : *(C) VC*.

La coupe syllabique se fait selon les principes suivants[2] :

— une consonne isolée entre deux voyelles appartient à la syllabe qui suit ([o - pe - ra]) ;

— quand deux consonnes se suivent à l'intérieur d'un même mot, l'appartenance de syllabe se décide en fonction des degrés d'aperture respectifs. La hiérarchie des degrés d'aperture est la suivante : le plus fermé comporte les occlusives ([p], [b], [t], [d], [k], [g]) ; puis les nasales ([m], [n] et [ñ]), puis les fricatives ([f], [v], [s], [z], [ʃ], [ʒ]) ; puis les liquides ([l] et [r]) ; puis les semi-voyelles ([j], [w] et [ɥ]) ;

— quand la succession de consonnes est ouvrante (du plus au moins fermé), les deux consonnes font partie de la même syllabe (ex. [pa / tri]), alors que des consonnes dans une succession fermante (du moins au plus fermé) appartiennent à deux syllabes différentes (ex. [par / ti]).

À titre indicatif, Delattre a établi sur un corpus parlé la proportion des syllabes relevant de chaque type :

— syllabes CV : 53 %

— syllabes CVC : 17 %

— syllabes CCV : 14 %

— syllabes VC : 2 %

— autres types : proportion inférieure à 2 %

1. Pour les principes généraux, voir Fouché (1959), Delattre (1966), Carton (1974) et Léon (1966a et 1992). Pour une application de ces principes au français, voir, outre les précédents (du moins pour certains aspects), Straka (1952), Lucci (1983a et b), Borrell & Billières (1989), Fonagy (1989), Martinet (1990), Léon (1992), Carton (1995). Et pour des applications plus spécifiques, Mettas (1979), Carton *et al.* (1983).

2. La syllabation reste un problème difficile, dont nous ne donnons que quelques éléments essentiels. Voir Delattre (1966).

On remarque que les syllabes ouvertes l'emportent nettement sur les syllabes fermées : on dira que la tendance du français est à une syllabation ouverte. Le nombre des syllabes ouvertes est encore augmenté par le rôle de l'enchaînement, selon lequel une consonne est liée à la voyelle qui la suit plutôt qu'à celle qui la précède :

(1) je compte agir en honnête homme

(2) [ʒə — kɔ̃ — ta — ʒi — rɑ̃ — nɔ — nɛ — tɔm]

En (2), le découpage en syllabes ne respecte pas les frontières des mots, ce qui a pour effet d'augmenter le nombre des syllabes ouvertes par rapport à la forme écrite.

Par contre, le nombre limité des syllabes fermées est augmenté par trois phénomènes : les emprunts, en particulier à l'anglais (3), la chute des e muets (4), et la tendance à restituer la prononciation d'une consonne finale dans les noms monosyllabiques (5) :

(3) speaker ([spi – kœr]) ; spoutnik ([sput – nik])

(4) [ʒənəkrwapa] / [ʒənkrwapa]

(5) [ut] (aout)

Pour la plupart des séquences, le français tend vers une alternance CVCV, au point qu'on peut parler d'un « schéma canonique » du français. Plusieurs phénomènes viennent le renforcer :

— outre l'enchaînement, l'existence de la liaison, qui fait apparaître une consonne entre deux voyelles, et de l'élision, qui fait disparaître une voyelle précédant une voyelle ;

— l'usage de la forme masculine des déterminants devant un nom féminin commençant par une voyelle (*mon amie*) ;

— l'existence d'une forme masculine spécifique pour certains déterminants et adjectifs devant un nom commençant par une voyelle : *cet individu, un nouvel ami, le vieil homme* ;

— la double forme de certains préfixes, dont l'une est réservée à l'occurrence devant voyelle : *mésaventure, désillusion* ;

— la prononciation [ij] de [j] après deux consonnes : [krije] pour *crier* ;

— l'apparition d'un *t* « euphonique » dans certaines formes verbales : *a-t-il, va-t-il*.

Pour les segments qui ne répondent pas à ce schéma canonique, certaines procédures tendent à le rétablir, selon deux modalités : éviter les blocs de consonnes et éviter les successions de voyelles.

Les groupes de consonnes ne sont pas entièrement admis, bien qu'ils ne soient pas exceptionnels. Si le groupe n'est que de deux consonnes, la succession ne pose généralement pas de problèmes, surtout quand est en jeu une liquide ou une semi-voyelle ; mais un groupe de trois ou quatre conduit souvent à des procédures de simplification, qui sont :

— soit la chute de l'une des consonnes ([esplike] pour *expliquer*) ;

— soit la division du groupe par l'introduction d'un e muet parasite ([arkəbutɑ̃] pour *arc-boutant*) ou par le déplacement de l'une des consonnes ([ɛ̃fraktys] pour *infarctus*).

Pour les voyelles, l'hiatus (ou succession de deux voyelles) est lui aussi senti comme une configuration inhabituelle. Il est donc souvent atténué, par exemple par le passage à une semi-voyelle quand la voyelle le permet : [ʒlɥiedi], [ʒɥedi] ou [ʒjedi] pour *je lui ai dit*, ou au moins par la diminution de l'aperture de la voyelle qui tend vers la semi-voyelle : [pɔɛt], [puɛt], [pwɛt] pour *poète*. Dans d'autres cas, le problème se règle par l'amuïssement (ou disparition de l'une des deux voyelles) : [estrɔrdinɛr] pour *extraordinaire*. Cependant, cette tendance à l'évitement de l'hiatus se heurte à une autre tendance qui restitue leur forme pleine aux mots courts et évite l'élision du e muet, comme en (6) :

(6) i (l) fait rien du tout / que inviter des copains ([kəɛ̃vite])

Nous verrons que beaucoup de phénomènes de variation répondent à ces tendances. Il ne s'agit néanmoins que de tendances, car hiatus et groupes de consonnes ne sont pas toujours évités en français.

La syllabation joue donc un rôle important. Du fait de l'enchaînement, le français se caractérise par un aspect très lié, les jointures se font peu entendre ; c'est pourquoi on a pu dire que le français était par excellence la langue du calembour, dont nous ne citerons qu'un exemple :

(7) l'Odéon est ouvert

(7') l'Odéon est tout vert

(plaisanterie de Mai 68, lors de l'occupation de l'Odéon : les deux séquences se prononcent de la même manière si l'on fait la liaison).

Cependant, cette tendance au lié est, à l'heure actuelle, contrebalancée par une autre : la démarcation entre les mots est en train de prendre de l'importance et une plus grande individualité est accordée aux mots sémantiquement pleins. D'où une tendance à la disparition de certaines liaisons :

(8) trop épais, [troepe] ou [troepɛ]

Une prononciation selon (8) sera préférée à (8'), laquelle pourrait donner lieu à calembour (*trop pépé*) pour le lecteur qui assimile le [ɛ] au [e] en syllabe finale ouverte :

(8') [tropepe]

Une autre manifestation de cette tendance à l'individualité des mots pleins est l'absence d'enchaînement (9), qui peut aller jusqu'au maintien d'un e muet qui aurait dû chuter (10), ou l'apparition d'un e parasite (11), procédés qui cassent le schéma canonique :

(9) avoir ʔ honte

(10) quelque chose de ample

(11) avoire honte ([avwarəɔ̃t])

2. Les tendances phoniques de la variation et du changement

Le phonétisme du français est dominé par quelques traits, tendances plus que règles, car il serait illusoire de prétendre tout expliquer et prédire par là[3].

2.1. Le mode tendu

La tension est la dépense d'énergie nécessaire pour tendre les muscles articulatoires pendant la phonation ; elle a pour conséquences une relative stabilité du timbre des sons, l'absence de diphtongaison pour les voyelles et d'affrication pour les consonnes, la rareté du glissement dans l'intonation, et la relative égalité rythmique.

Plus l'usage est surveillé, et plus il y a tension, rétrécissement, fermeture[4]. Une prononciation populaire parisienne se caractérise au contraire par le relâchement :

(12) [aeuy] (exemple de Bauche)

3. Delattre les appelle les « modes phonétiques du français ».

4. Ce qui n'a pas manqué de provoquer des interprétations quant à l'attitude corporelle en jeu dans le parler des différentes couches sociales. Voir par exemple Guiraud (1965), et la notion d'hexis corporelle chez Bourdieu (repris dans 1982).

(12') avez-vous vu

Précisons que le [v] est une consonne qui perd facilement sa force d'articulation.

2.2. *L'antériorité*

Le lieu d'articulation du français est, pour la majeure partie des sons, l'avant de la cavité buccale :

— 9 voyelles sur 16, 13 consonnes sur 17 et 2 semi-voyelles sur 3 sont antérieures ; de plus, les sons antérieurs sont prononcés très à l'avant (plus qu'en anglais, par exemple) ;

— la fréquence des sons antérieurs est, dans le discours, deux fois plus élevée que celle des sons postérieurs ;

— il peut y avoir tendance à l'avancée de certains sons : *cintième*[5] pour *cinquième* (populaire), *Mareuc* pour *Maroc* (parisien).

2.3. *Le mode croissant*

Le français est une langue d'attaque douce : voyelles et consonnes sont réalisées avec une énergie physiologique qui commence doucement et s'accroît progressivement jusqu'à la prononciation de la voyelle. Ce qui permet de comprendre plusieurs traits du français standard :

— la syllabation : une consonne se rattache à la voyelle qui suit plutôt qu'à celle qui précède, même si elle appartient à un autre mot, et il y a prédominance d'une syllabation ouverte. Ainsi, si *infarctus* est parfois prononcé [ɛ̃fraktys], ce n'est pas seulement par « fausse étymologie » (on pense qu'il est lié à *fracture*), mais aussi par tendance à charger le début de la syllabe et à décharger la fin ;

— les caractères des consonnes : il n'y a pas d'affriquées (exception dans quelques usages régionaux dont le français québécois, où par exemple [t] est prononcé [ts]) ; les consonnes finales manifestent une forte détente ;

— les caractères des voyelles : absence de diphtongues, absence de neutralisation vocalique ;

— le caractère presque toujours régressif des assimilations : quand deux consonnes se suivent, c'est généralement la deuxième qui modifie la première ;

— l'absence de nasalisation des voyelles orales suivies de consonnes nasales (exception en français du Midi, ou dans les dilations — voir plus loin) ;

— la prédominance des sons stables dans l'intonation, où apparaissent peu d'inflexions.

---

5. Exemple classique mais contestable. Il est plus vraisemblable qu'il s'agit d'une palatale entendue déplacée par rapport au [k]. Ceci serait confirmé par la graphie *bon guieu* (pour *bon Dieu*), qui réalise au contraire une reculée et montre probablement la même chose.

2.4. L'égalité rythmique

Le français est caractérisé par une relative égalité rythmique :

— l'accent est peu marqué, d'autant moins qu'il n'a jamais de caractère distinctif ;

— les syllabes sont de durées presque égales et il y a une certaine stabilité intonative dans le groupe accentuel.

Aussi, quand des imitateurs non francophones veulent donner une approximation de français, ils le font selon un ton monocorde. Cependant, une nouvelle tendance se fait jour, liant l'écrasement des mots mineurs et la démarcation des mots majeurs, ce qui va de pair avec un nouveau mode d'accentuation.

3. La prosodie

On désigne par ce terme l'ensemble des faits qui échappent à l'articulation segmentale (on dit aussi les faits suprasegmentaux) : l'intonation, l'accentuation, le rythme, le débit, les pauses. Malgré l'importance qu'ils revêtent pour une description de la langue parlée, ces traits ne seront qu'à peine évoqués dans cet ouvrage[6], au gré de questions phonologiques ou syntaxiques qui nécessitent de les aborder.

3.1. L'accentuation

Le français connaît un accent dit tonique, qui a pour propriété de ne pas être distinctif. On dit habituellement qu'il tombe régulièrement sur la dernière syllabe de chaque mot plein ; mais, dans la chaîne, l'accent de mot disparaît au profit de l'accent de groupe, frappant la dernière syllabe du groupe.

Les limites du groupe accentuel ne sont pas fixes, réglées à la fois par des critères syntaxiques et par le débit. Il manifeste néanmoins une certaine cohérence, accentuée par l'enchaînement, la liaison et l'élision. La fusion du mot dans le groupe accentuel est encore un facteur qui favorise les calembours en français.

En face de cet accent tonique, le français voit, depuis une période assez récente, se développer deux nouveaux accents, d'insistance :

— l'accent d'insistance émotif, qui se manifeste par le renforcement de la première syllabe du mot commençant par une consonne :

(13) c'est a'ssomant[7]

(14) un 'vaurien

(15) voilà 'huit jours que je n'ai 'que des ennuis

— l'accent d'insistance intellectuel, ou didactique, qui frappe la première syllabe du mot, quelle que soit sa forme :

6. Pour une description plus complète, voir Arrivé, Gadet et Galmiche (1986) article « prosodie ». Voir aussi le chapitre écrit par P. Mertens dans Blanche-Benveniste *et al.* (1990), Lucci (1983b), Morel (1992b), Carton (1995).

7. Apostrophe antéposée ou capitales, les notations graphiques ne sont que très approximatives.

(16) une caractéristique 'très importante

(17) c'est véritablement 'épouvantable

L'accent ne constitue pas le mode d'insistance le plus fréquent en français, et nous verrons qu'on lui préfère souvent des procédés syntaxiques de mise en relief (comme différents types de détachements et de thématisations).

3.2. L'intonation

Le rôle de l'intonation est particulièrement important en français. Elle revêt des aspects très différents selon les registres : relativement monotone en registre soutenu, elle connaît de nombreux changements de tons en registre familier (variation du niveau 1, grave, au niveau 4, aigu, l'attaque se faisant au niveau 2).

Sa fonction est, selon les cas, syntaxique, démarcative ou expressive. Nous aurons surtout à parler de sa fonction syntaxique, qui peut suffire à indiquer un type de phrase (l'interrogation, quand celle-ci n'est pas marquée autrement), ou un lien entre les phrases (dans les cas de parataxe). Son rôle expressif aurait aussi pu nous retenir, par exemple pour des phrases que seule une intonation particulière peut rendre grammaticales, comme :

(18) il a eu UNE peur

Le débit et le rythme ne sont pas directement des phénomènes linguistiques, mais ils jouent pour nous un rôle important, car plus le rythme est rapide, moins la séquence fait l'objet de surveillance, et plus il y a de chance qu'interviennent des phénomènes de relâchement.

CHAPITRE 5

LA LIAISON

La liaison est une survivance d'une prononciation qui, encore au XVIe siècle, faisait sonner toutes les consonnes finales. Aujourd'hui, les consonnes finales sont en majorité muettes dans les mots isolés, mais, dans la chaîne parlée, on les prononce quand le lien est fort entre un mot terminé par une consonne et le mot qui suit s'il est à initiale vocalique.

Si c'est là le premier phénomène que nous avons choisi d'étudier, c'est que la liaison constitue un indicateur sociolinguistique explicitement très fort, qui à lui seul permet de classer socialement un locuteur. Elle permet aussi de poser des questions théoriques sur les rapports entre les niveaux, par le fait qu'elle est déterminée en même temps syntaxiquement et phonologiquement[8].

Indicateur sociolinguistique très fort : nous en prendrons pour exemple ce bref dialogue, épisode de l'interview par Yves Mourousi d'un élève d'une école de charcuterie, lors d'un journal télévisé :

(1) *élève* : l'école réunit mille z élèves
YM : mille élèves, sans s
élève : pardon

1. Description générale

Pour son aspect linguistique, la liaison se caractérise à la fois par un conditionnement phonologique et par un conditionnement syntaxique[9].

Conditionnement phonologique : la liaison doit s'étudier dans le cadre de la soumission tendancielle au schéma canonique CVCV, qui entraîne un enchaînement des syllabes au-delà du mot :

(2) il part à Vienne en avion

se prononce, au niveau des syllabes, selon la succession :

(3) [il — pa — ra — vjɛ — nɑ̃ — na — vjɔ̃]

où trois des sept syllabes n'ont la forme CV que grâce à un enchaînement.

8. Milner (1973) propose le terme « syntactique » (par opposition à syntaxique) pour désigner les phénomènes comme la liaison et l'élision qui, de nature phonétique, sont sensibles à la structure syntaxique. Voir aussi Cornulier (1981) et Encrevé (1988) sur le rapport entre liaison, élision, h aspiré et e muet.
9. Voir Delattre (1966) pour une présentation linguistique et Encrevé (1983 et 1988), à la fois pour le rappel du schéma général, une proposition de traitement en grammaire générative et pour une étude sociolinguistique.

La liaison est un cas particulier de l'enchaînement : quand le mot qui suit commence par une voyelle, la consonne finale d'un mot, habituellement muette, peut (ou doit, selon les cas) être prononcée, processus suivi, comme l'enchaînement, d'une resyllabation :

(4) [i — le — ta — ri — ve]

Les phonèmes sujets à liaison sont avant tout [t] et [z] (pour la lettre s), puis [n], [r], et [p].

Conditionnement syntaxique : la liaison s'effectue dans la mesure où existe un lien grammatical fort entre deux mots. Selon la nature et le rôle syntaxique des mots dont la succession réalise les conditions pour qu'il y ait liaison (et des groupes qu'ils constituent), les liaisons sont classées par les grammairiens en obligatoires, facultatives, et interdites (ou impossibles).

Deux raisons nous conduiront à modifier cette terminologie. D'abord, les termes « interdit » ou « impossible » deviennent, depuis les réflexions de la grammaire générative sur le grammatical, difficiles à utiliser, car, quand quelque chose est dit « impossible », c'est qu'il arrive qu'on le rencontre, ce que nous verrons plus bas avec les « fautes de liaison ». La deuxième raison est que les termes « obligatoire », « facultatif » et « interdit » sont pris dans le paradigme de la prescription, et, à la suite d'Encrevé qui reprend les catégories descriptives de Labov, nous les accompagnerons des termes « invariable » (ou catégorique), « variable » et « erratique ».

Les liaisons facultatives dépendent du « style »[10]. L'exemple suivant, repris de Delattre, est classiquement donné par les grammairiens pour présenter les variations :

(5) des⁀hommes⁀illustres⁀ont⁀attendu

1. *des⁀hommes* : liaison obligatoire

2. *hommes⁀illustres* : liaison facultative, assez rare en conversation familière

3. *illustres⁀ont* : liaison facultative, exceptionnelle ailleurs qu'en style très soutenu, archaïsante

4. *ont⁀attendu* : liaison facultative, assez fréquente

Plus les rapports de groupes sont étroits, plus la liaison tend à être obligatoire. Il n'y a qu'exceptionnellement liaison de groupe à groupe (ex. *ils⁀arrivent*, obligatoire, mais *les enfants*† *arrivent*, sans liaison sauf en lecture de vers, ce qui renforce l'analyse selon laquelle le clitique sujet n'est pas un groupe nominal ordinaire). La liaison n'est réellement interdite qu'après un nom singulier, après *et*, et devant le h « aspiré » ou *un, huit, onze* et leurs dérivés.

Seule la réalisation facultative[11] nous retiendra ici, seule possibilité de « choix » quand le reste est réglé (imposé ou interdit) par la description grammaticale. Il n'y a qu'elle pour constituer une variable sociolinguistique, en fonction du nombre d'occurrences et de la nature des mots liés.

Plus le discours est familier, moins les liaisons facultatives sont réalisées. Les liaisons sont donc sociolinguistiquement d'autant plus signifiantes qu'elles sont plus rares. On peut dire, en suivant Encrevé, que la liaison est « un phénomène sociolinguistique inversé », car ce sont les locuteurs les plus scolarisés qui présentent sur elle le plus large système de variation. Aussi la constitution d'un corpus sur la liaison incite-t-elle à faire

10. On distingue au minimum, pour la langue standard : conversation familière, conversation soignée, conférence et récitation des vers.

11. Delattre écrit : « L'art de faire ou d'omettre les liaisons facultatives permet de garder ses distances à l'égard d'Un tel, ou au contraire de briser la glace et de se faire rapidement un ami » (1966).

appel à des locuteurs favorisés, en situation surveillée, puisque, sur un corpus ordinaire, il n'y aura guère plus à signaler que le respect prévisible des liaisons obligatoires.

2. Étude d'un corpus

Nous allons illustrer le fonctionnement de la liaison avec l'exemple d'un discours de Malraux, d'un style particulièrement soutenu : c'est le début du discours à l'occasion du transfert des cendres de Jean Moulin au Panthéon, discours lu (on entend le froissement des pages) sur un mode extrêmement solennel. La transcription des liaisons reproduit la prononciation de Malraux.

> « Puissent les commémorations des deux guerres s'achever‿aujourd'hui, par la résurrection du peuple d'ombres que cet homme anima, qu'il symbolise, et qu'il fait‿entrer‿ici comme une humble garde solennelle autour de son corps de mort. Après vingt‿ans, la résistance est devenue un monde de limbes où la légende se mêle à l'organisation. Le sentiment profond, organique, millénaire, qui a pris depuis son‿action légendaire, voici comment je l'ai rencontré. Dans‿un village de Corrèze, les‿Allemands avaient tué des combattants du maquis, et donné ordre au maire de les faire enterrer‿en secret à l'aube. Il est d'usage dans cette région que chaque femme assiste aux‿obsèques de tout mort de son village en se tenant sur la tombe de sa propre famille. Nul ne connaissait ces morts qui étaient des‿Alsaciens. Quand‿ils‿atteignirent le cimetière, portés par nos paysans sous la garde menaçante des mitraillettes‿allemandes, la nuit qui se retirait comme la mer laissa paraître les femmes noires de Corrèze, immobiles du haut‿en bas de la montagne, et attendant‿en silence, chacune sur la tombe des siens, l'ensevelissement des morts français. Ce sentiment qui appelle la légende, sans lequel la résistance n'eut jamais‿existé, et qui nous réunit‿aujourd'hui, c'est peut‿être simplement l'accent ≠ invincible de la fraternité. »

Nous relevons dans cet extrait huit liaisons obligatoires, auxquelles nous ne nous intéresserons que pour souligner qu'elles entrent dans des groupes à forte cohésion : *vingt‿ans, son‿action, les‿Allemands, aux‿obsèques, des‿Alsaciens, ils‿atteignirent, haut‿en bas, peut‿être.* Seul un non-francophone pourrait ne pas les produire.

Restent alors onze liaisons effectuées qui ne sont pas obligatoires. La proportion liaisons obligatoires / liaisons facultatives est donc proche de ce que signale Encrevé (presque 50 % de liaisons obligatoires), mais, globalement, ce nombre n'est pas exploitable s'il n'est pas modulé en un pourcentage : aurait-il été possible de faire plus soutenu ? Y a-t-il des liaisons facultatives que Malraux ne fait pas et qui auraient pu être réalisées ?

Il y a quatre cas où un mot se termine par une consonne et précède un mot débutant par une voyelle : *limbes où, les Allemands avaient, en secret à l'aube, et attendant.* La première liaison, liant une relative à son antécédent, est théoriquement possible mais de fait guère souhaitable. La deuxième, qui intervient entre un SN sujet au pluriel et son verbe, est, selon Delattre, réservée au style qu'il appelle « récitation de vers » : possible donc, mais très recherchée. La troisième, ayant pour effet de lier deux groupes prépositionnels de nature différentes, est impossible, ainsi d'ailleurs que la quatrième, car il n'y a jamais de liaison après *et*. Malraux a donc fait onze liaisons facultatives sur treize possibles, un peu plus de 80 %.

Mais ce pourcentage est lui-même trop grossier, car il ne tient pas compte de ce que les liaisons facultatives ne sont pas toutes équivalentes. Nous nous proposons, de façon intuitive, de les classer en quatre groupes, en fonction de leur probabilité d'apparition, des plus aux moins probables.

1. Les plus communes : *dans⁀un village, quand⁀ils*. Toutes les deux assurent la cohésion de groupes, prépositionnel dans le premier cas, de phrase circonstancielle dans l'autre. Elles sont faites la plupart du temps.

2. Un peu plus rares : *réunit⁀aujourd'hui, fait⁀entrer, attendant⁀en silence, jamais⁀existé*. Trois d'entre elles concernent le lien entre verbe et adverbe, la quatrième relie deux éléments d'une forme verbale composée.

3. Encore plus rares : *mitraillettes⁀allemandes*, qui concerne le lien entre nom et adjectif au pluriel.

4. Exceptionnelles : *s'achever⁀aujourd'hui, entrer⁀ici, enterrer⁀en secret, accent⁀invincible*. Les trois premières concernent un lien entre verbe et adverbe, le verbe étant à l'infinitif et appartenant au premier groupe, ce qui produit des tours particulièrement soutenus ; nous parlerons plus bas de la quatrième.

Cette répartition est trop intuitive pour ne pas inviter à une vérification. C'est ce que nous avons fait en soumettant ce même texte à une centaine de lecteurs (en leur donnant une consigne vague comme l'expressivité). Les pourcentages de liaisons effectuées ont été les suivants :

7 % : accent invincible
10 % : enterrer en secret
12 % : entrer ici
20 % : réunit aujourd'hui
27 % : s'achever aujourd'hui
30 % : attendant en silence

40 % : jamais existé
55 % : mitraillettes allemandes
60 % : fait entrer
85 % : haut en bas
95 % : quand ils
95 % : dans un village

Précisons que pas un locuteur n'a fait aucune liaison, et aucun n'en a fait autant que Malraux. Le résultat ne constitue pas réellement une surprise ; nous ferons néanmoins deux remarques :

— les trois cas d'*infinitif* + *adverbe* ne sont pas tout à fait au même rang : la liaison *s'achever aujourd'hui* est plus fréquemment effectuée que les autres. Faut-il y voir l'effet de sa position en début du texte (plus grande surveillance) ? ou bien une influence discursive du déictique *aujourd'hui* ?

— *haut en bas* a été classé comme liaison obligatoire, alors que 15 % des locuteurs ne la font pas.

Reste le cas de *accent invincible*, liaison faite par Malraux et par 7 % de nos témoins. Or, c'est là une liaison souvent donnée comme interdite. On distingue en effet, au singulier, entre (6) et (7) :

(6) un savant⁀an'glais

(7) un sa'vant⁀̸an'glais

En (6), l'ordre est *adjectif* + *nom*, il n'y a qu'un accent de groupe et la liaison est souvent faite. En (7), l'ordre est *nom* + *adjectif*, il y a deux accents et la liaison est impossible[12] ailleurs qu'en récitation de vers. Il s'agit donc, de la part des locuteurs qui la font, soit d'un archaïsme, soit d'une hypercorrection.

---

12. Sauf dans une expression lexicalisée, comme *accent⁀aigu*. On ne s'étonnera pas d'entendre couramment au pluriel [dezaksɑ̃tegy].

3. La liaison sans enchaînement

Indépendamment de son statut, *accent invincible* comporte chez Malraux une réalisation particulière, que nous avons notée avec le double symbole de liaison et de rupture : c'est une liaison sans enchaînement. Le *t* de *accent* sonne, puis est suivi d'une légère pause à la suite de laquelle l'attaque est douce[13].

C'est là une liaison dont la fréquence augmente. Apparue de façon relativement récente bien qu'il soit difficile d'établir quand au juste, dans la mesure où son existence est peu signalée par les grammairiens, elle est particulièrement fréquente dans les discours politiques, liée au développement de l'accent didactique. Elle permet en effet de combiner deux tendances partiellement contradictoires : effectuer la liaison (socialement valorisante), et faire porter l'accent d'insistance sur la première syllabe du mot :

(8) c'est 'IMpossible ([set ɛ̃pɔsibl])

Encrevé (1988) montre qu'on peut dégager une régularité : quand la liaison est obligatoire, l'enchaînement est également obligatoire. Mais pour les liaisons facultatives, l'enchaînement est facultatif.

Un autre phénomène, semble-t-il récent lui aussi, vient confirmer à la fois le rôle sociolinguistiquement valorisant de la liaison, et son rapport complexe à l'accent didactique : il arrive, surtout dans les discours politiques, qu'une consonne potentiellement de liaison apparaisse même devant un mot commençant par une consonne, en ce que Delattre appelle un enchaînement consonne-consonne (on dit aussi « liaison consonantique »). Ici, [t] est articulé avec beaucoup d'énergie :

(9) qu'ils aient t voté pour Chirac ou pour Mitterrand

Ce fait et sa fréquence en augmentation laissent entendre que l'enjeu social de la liaison l'emporte sur le respect du schéma canonique, puisqu'elle a pour effet d'augmenter le nombre de syllabes fermées. Elle permet aussi, en rompant l'enchaînement, d'éviter ce que Cohen a appelé « l'effet Zému », en référence à l'exemple suivant (début d'un discours politique) :

(10) je suis‿ému (l'orateur s'apprête à poursuivre par *de me présenter devant vous*)

— Vive Zému (acclamations de la foule)

Les conséquences de l'effet Zému peuvent parfois être gênantes à cause des calembours possibles, comme dans cet exemple cité par Encrevé (1988) :

(11) et Dieu sait s'il l'a beaucoup eʔ [bokup ʔ ete] (il s'agit d'éviter le calembour sur *péter*)

4. Les fautes de liaison

À la mesure du rôle socialement différenciateur qu'est susceptible de jouer la liaison, elle laisse apparaître beaucoup de fautes, particulièrement dans les situations qui favorisent l'hypercorrection. Elles appartiennent à plusieurs types, par excès, par défaut ou par déplacement.

Les fautes de liaison les plus généralement perçues, exprimées dans l'expression familière de « liaison mal-t-à propos », sont les erreurs que l'on appelle « pataquès », qui

13. Comme le montre Encrevé, le premier à étudier systématiquement ce type de liaisons, deux autres réalisations étaient possibles : une fermeture glottale suivie d'une attaque dure, et un léger « schwa » (ou e muet).

connotent très péjorativement un discours. On les appelle, pour les plus fréquentes, cuirs (séquence (12), avec fausse liaison en [t]), et velours, (séquence (13), avec fausse liaison en [z]) :

(12) j'en suis très t aise

(13) moi z aussi

Quand elles sont perçues par le locuteur, elles sont bien souvent immédiatement corrigées. Bien qu'elles soient « erratiques », on peut généralement comprendre leur mécanisme, en distinguant celles qui mettent en jeu l'axe syntagmatique de celles qui mettent en jeu un lien paradigmatique.

— Pataquès syntagmatiques, produits d'une prégnance discursive interne à la chaîne, dont le mécanisme est plus ou moins complexe :

(14) les auteurs et les non z auteurs

On pourra rapprocher de (14) les formes (15) et (16) où, bien que la liaison fautive s'appuie sur un pluriel non présent dans la chaîne, c'est sûrement l'idée de pluriel qui la déclenche :

(15) les cinq z années à venir (régularisation de paradigme sur deux années, trois années...)

(16) la certitude d'avoir z été tenus en échec

(16) comporte une logique : seul le z permet de savoir que plusieurs personnes sont concernées. Peut-être y a-t-il aussi une influence de la complétive à laquelle l'infinitive est liée (*qu'ils͡ont été*). À comparer à (17), qui traite *chemin de fer* comme un nom simple :

(17) les chemins de fer z anglais

Frei parle, pour de telles formes, d'un « préfixe autonome de pluriel », dont on sait le rôle qu'il a pu jouer, par exemple dans la formation du verbe *zieuter* (*entre quat'z yeux*). On voit son rôle en français standard pour distinguer un singulier d'un pluriel (ex. (18)), mais, en français populaire, la réalité qu'on lui prête va jusqu'à donner lieu à une géminée quand la consonne à l'initiale du nom est aussi [z] (ex. (19)) :

(18) procès inique / procès͡iniques ([prɔsɛzinik])

(19) douze z invités ([duzzɛ̃vite] ou [duzəzɛ̃vite])

— Pataquès paradigmatiques par prégnance de mémoire :

(20) si vous laissez r un message (sur répondeur téléphonique)

par probable souvenir de la formule, souvent enregistrée avec liaison : *veuillez laisser͡un message*

(21) je suis bien t aise (le locuteur, interrogé, reconnaît avoir hésité avec *je suis fort͡aise*)

Fautes de liaisons aussi que les liaisons par excès, soit liaison qui ne devrait pas être faite (comme (22), où la liaison entre SN sujet et SV est exclue), soit liaison théoriquement possible mais peu souhaitable pour des raisons d'euphonie, comme (23), où l'on risque le calembour *zozo*, ou *au zoo* :

(22) la foule des gens z était partie

(23) vous͡êtes͡aux͡eaux (ex. de Frei)

Le désir d'éviter la cacophonie peut conduire à préférer l'hiatus, comme en (24) ou en (25), car l'excès de liaisons peut produire un effet comique, comme en (26) :

(24) un attentat̸͡affreux

(25) tôt̸͡ou tard

(26) vous feriez mieux d'aller garder vozouazévovos (Queneau – *vos oies et vos veaux*)

Un cas est ici à signaler, où la liaison inattendue indique la nécessité de modifier une analyse syntaxique, comme :

(27) je verrais mes gosses [kizɔ̃] faim / peut-être que je volerais

La liaison invite à corriger l'inexplicable *qui z ont* en *qu'i (l) s͡ont*, et à identifier une « relative de français populaire » (voir chapitre 13).

Le dernier type de faute, par défaut, concerne les liaisons facultatives fréquentes ostensiblement non faites, comme (28) avec une transcription littéraire fantaisiste :

(28) c'est ha moi les bloudjinnzes (Queneau)

La liaison et sa « disparition »[14] constituent un motif récurrent de lamentation des grammairiens et des chroniques de langue dans les journaux. Mais le travail d'Encrevé montre que, même si le domaine des liaisons invariablement réalisées s'est un peu restreint, la plupart des liaisons obligatoires reste telles, et les liaisons facultatives demeurent des indicateurs sociaux très forts.

On peut donc rappeler les propos de Martinon (1913), sensible aux effets sur l'oral de la diffusion de l'enseignement : « Si donc un jour doit venir où l'on ne fasse plus de liaison qu'en vers, il est permis de croire que ce jour est encore assez loin. » Point sensible de modifications en cours (suppression de l'enchaînement, développement de l'accent didactique, tendance à faire ressortir les mots importants), la liaison a un avenir imprévisible.

14. Les grammairiens du début du siècle émettent déjà cette plainte (Bauche, Vendryès, Frei), due en grande partie à leur peu d'intérêt pour la liaison obligatoire, qui seul peut permettre à Bauche d'écrire : « Les liaisons se font de moins en moins en français. En langage populaire, hormis certains cas déterminés, elles ont presque totalement disparu. »

CHAPITRE 6

LE E MUET

1. Principes généraux

Le e muet constitue lui aussi un indicateur sociolinguistique assez fort, quoiqu'il joue de façon plus évidente dans la variation diatopique que sur le plan social : ainsi la prononciation en finale de mot, impossible pour un Parisien, est-elle attestée dans l'enquête de Martinet[15] pour 80 ou 90 % des occurrences des locuteurs méridionaux.

Les règles d'apparition du e muet en français standard sont données comme comportant trois valeurs : apparition impossible, obligatoire et facultative. C'est naturellement dans les cas facultatifs que se loge la variation[16]. On doit cependant reconsidérer les règles, car elles sont généralement formulées pour les mots isolés, non pour un discours suivi.

Il faut distinguer entre le e élidé devant voyelle (élision proprement dite), la chute du e en finale de mot (ou en finale de groupe), et le cas général.

Dans les deux premiers cas, la chute est systématique (pour le deuxième, du moins dans le nord de la France). Ce n'est qu'avec le troisième que les choses deviennent plus difficiles. On représentera la règle générale de la façon suivante : quand il est suivi d'une consonne ou plus, l'e intérieur tombe après une seule consonne et se maintient après deux consonnes ou plus. Seul le nombre de consonnes qui précède a de l'importance : un e entouré de quatre consonnes peut chuter, s'il n'est précédé que d'une seule ([lskrypyl], *l(e) scrupule).*

De façon plus précise, plusieurs cas sont à noter.

— À l'intérieur d'un mot et en finale de mot à l'intérieur d'un groupe, les e précédés d'une seule consonne tombent (*sam(e)di*). Ceux précédés de deux consonnes d'une même syllabe se maintiennent (*autre chose*), mais, si les deux consonnes appartiennent à des syllabes différentes (*marche vite*), il y a plus de liberté.

— En syllabe initiale de mot : l'e précédé d'une seule consonne ne tombe pas toujours (*on redonne* : [rdɔn] ou [rədɔn]). Quand il est précédé de deux consonnes, il est maintenu si les deux consonnes appartiennent au même mot (*grenier*). Si les deux consonnes appartiennent à des mots différents, il ne se maintient de façon absolue que quand les deux consonnes appartiennent à la même syllabe.

15. Martinet (1945), qui présente les résultats d'une enquête faite sur environ 400 officiers dans un camp de prisonniers pendant la guerre, constitue la première enquête de ce type, portant sur tous les points variables du système phonologique du français. Les résultats ont été confirmés par des reprises, quelques années plus tard, par Reichstein (1960) et par Deyhime (1967).
16. Les études le concernant sont nombreuses. Voir en particulier : Delattre (1966), Léon (1966a et b, 1992), Martinet (1969), Dell (1973), Carton (1974), Fornel (1983), Encrevé (1988).

— Devant [rj] et [lj], le e se maintient toujours (*relier, seriez*) ; *le* conserve toujours le e en position postverbale (*dis-le*) ; enfin, les neuf monosyllabes (*le, je, me, te, se, de, ne, ce* et *que*) se comportent de façon spécifique.

Un cas particulier est constitué par les séries de e en syllabes successives : c'est le comportement du premier qui va déterminer les comportements de ceux qui suivent, lesquels tombent après une seule consonne, et sont maintenus après deux. La règle qui s'applique alors (ou la tendance) peut être résumée comme le maintien, soit des e pairs, soit des e impairs. On trouve donc préférentiellement (car il arrive que d'autres schémas apparaissent), soit le schéma (1), soit le schéma (2) :

(1) CeCCeC (les e conservés sont les impairs)

(1') je m(e) le d(e)mande

(2) CCeCCe (les e conservés sont les pairs)

(2') j(e) me l(e) demande

(1) est considéré comme le plus standard (c'est lui qui est indiqué par les orthoépistes), et (2) comme populaire. Il est possible que la position en début ou en milieu de séquence ait des effets, car Frei donne (3) comme « populaire », et (4) comme « plus relevé » (*sic*) :

(3) veux-tu telver ?

(4) veux-tu tlever ?

On peut toutefois observer que le e muet constitue une zone en cours de reconfiguration, et que fréquemment les jeunes locuteurs ne respectent plus la règle des trois consonnes. Ils acceptent désormais des groupes plus chargés que ne le faisaient leurs aînés.

2. Le domaine de la variation

Nous nous servirons, pour présenter les modalités de la variation, des formulations de l'enquête de Martinet (1945), dont les questions 3, 4, 5 et 6 résument les possibilités de variation. Il est cependant nécessaire d'apporter deux restrictions :

— l'enquête vise surtout la variation régionale ; du fait qu'elle procède par questionnaire écrit, la variation stylistique est d'emblée écartée ; quant à la variation sociale, elle est limitée par la relative homogénéité de la population traitée ;

— la date de réalisation explique certaines limites, car certaines connaissances n'étaient pas disponibles en 1945.

3. Dans un parler tout à fait naturel et familier, prononcez-vous de façon identique :
   a) *laque et lac* ?... b) *Rome et rhum* ?... c) *Catherine et Katrine* ?... d) *charretier et Chartier* ?... e) au *c* près, *calepin* et *alpin* ?...
4. Prononcez-vous naturellement : a) *arc (que)-boutant* ou *arc'-boutant* ? ... b) *ours(e) blanc* ou *ours'blanc* ? ...
5. Quelle prononciation vous paraît la plus naturelle (soulignez-la) :
   a) de *j'me dis, je m'dis, je me dis* ?
   b) de *j'me l'demande, je m'le d'mande, j'me le d'mande, je me le demande* ?
   c) de *on s'retourne, on se r'tourne, on se retourne* ?
   d) de *la pein'de mort, la peine d'mort, la peine de mort* ?
   e) de *renseign'ment, renseignement* ?
6. Dans *bois-le*, par exemple, prononcez-vous le *e* avec le timbre du *eu* de feu ? ... celui de *eu* de peur ? ... ou avec un timbre différent de celui de ces deux voyelles ? ...

Martinet (1945)

Les différents problèmes soulevés par Martinet à propos du e muet sont donc les suivants :

— les questions 3 a et b permettent d'observer les occurrences en finale de mot (pour les locuteurs autres que du nord de la France) ; 3 c, d et e, les occurrences à l'intérieur d'un mot ;

— la question 4 concerne le nombre de consonnes qui entourent le e muet, et l'éventualité de prononciation d'un e parasite ;

— la question 5 concerne une succession de syllabes comportant des e muets ;

— enfin la question 6 concerne le timbre.

L'enquête de Martinet ne nous retiendra que pour le cadre linguistique, non pour les résultats qui ne sont pas dans nos objectifs.

3. Étude d'un corpus

Pour établir une échelle sociolinguistique, nous ne tenons compte que des e facultatifs : parmi ceux-ci, on établira la proportion entre le nombre qu'il était possible de réaliser et le nombre effectivement réalisé.

C'est ce que nous allons tenter de faire avec un texte, transcription d'un enregistrement téléphonique familier. Le choix du document est dicté par le mode de conditionnement de la variable : alors que le travail sur la liaison imposait un style soutenu, l'étude du e muet impose un style familier. Nous présentons d'abord le texte transcrit orthographiquement (avec l'aménagement d'une mise entre parenthèses des e non prononcés), puis en phonétique pour l'étude des phénomènes concomitants :

> c(e) qu'il faut qu(e) je fass(e) surtout quand mêm(e) / ça faut pas ? faut pas qu(e) je fass(e) le con / c'est d'aller / d'aller chez l(e) gardien récupérer les clefs // pa(r)c(e) que lui va s(e) trimballer avec le trousseau ils les ont laissé je sais pas ils ont peur d(e) lui d(e) mander ou quoi / / et faut qu(e) j(e) lui d(e)man(de) de m'indiquer la boît(e) aux lettr(es) aussi
>
> faut qu(e) j(e) lui d / ouais non mais il faut pas qu(e) je déconn(e) avec ça / il faut qu(e) j(e) lui d(e)mand(e) aussi / de m'indiquer pour les sous-sols e / enfin tous tous les / tout(es) les indications dont j'ai besoin et / qu'eux ils ont pas / hein / et puis e / bon ben le plafond on l(e) ref(e)ra et j(e) te dis sam(e)di dimanch(e) / enfin non sam(e)di surtout
>
> et bon la la pos(e) du papier peint on r(e)mettra ça dans la s(e)main(e) prochain(e)
>
> ouais d'accord bon déjà le onz(e) novemb(re) on pourrait fair(e) un(e) partie d(e) la pos(e) / enfin je sais pas si le onz(e) novemb(re) je pourrai // mais on pourrait fair(e) un(e) partie d(e) la pos(e) et puis bon ben / on f(e)ra peut-être ça dans / un soir ou deux dans la s(e)main(e) comm(e) ça // j(e) pens(e) que pour fair(e) les deux murs et d(e)mi pa(r)c(e) que il y a des p(e)tits chouïas à fair(e) / pour fair(e) les deux murs et d(e)mi ça d(e)vrait pas d(e)mander très longtemps
>
> j'espèr(e) que ça dégueulass(e) pas trop l(e) sol la coll(e)
>
> [skifogʒəfasuʁtukɑ̃mɛm / safopaː ʔ fopagʒəfasləkɔ̃ / sedale ʔ / daleʃelgaʁdjɛ̃ʁekypeʁelekle // paskœlɥivastʁɛ̃baleavɛklətʁuːso / ilezɔ̃leseʒəsepa / izɔ̃pœʁdlɥidmɑ̃deukwa // efogʒlɥidmɑ̃dəmɛ̃dikelabwatolɛtʁosi

interlocuteur
fokzlyid ʔ wɛnɔ̃meifopagʒədekɔnavɛksa / ifogzlyidmɑ̃dosi ʔ / dəmɛ̃dikepuʁlesusɔːlœː /
fɛ̃ ʔ tu ʔ tuleː / tutlezɛ̃dikasjɔ̃dɔ̃ʒebəzwɛ̃eː / kœøizɔ̃pa / ɛ̃ / epyiœː //
bɔ̃bɛ̃ləplafɔ̃ɔ̃lʁəfʁaːeʃtədisamdidimɑ̃ʃ / fɛ̃nɔ̃samdisuʁtu

interlocuteur
eː // bɔ̃la ʔ lapozdypapjepɛ̃ɔ̃ʁmɛtʁasadɑ̃lasmɛnpʁɔʃɛn

interlocuteur
wɛdakɔʁ bɔ̃deʒaləɔ̃znɔvɑ̃bɔ̃puʁɛfɛʁynpaʁtidlapoz / fɛ̃ʒəsepasiləɔ̃znɔvɑ̃bʒəpuʁɛ //
meɔ̃puʁafɛʁ ynpaʁtidlapozepyibɔ̃ːbaː / ɔ̃fʁaptɛtsadɑ̃ːː / ɛ̃swaʁudødɑ̃lasmɛnkɔmsa /
ʃpɑ̃skəpuʁfɛʁledømyːʁ eːnmi ʔ paskœjadeptiʃujaafɛʁ ʔ / puʁfɛʁledømyʁenmi /
sadvʁɛpadmɑ̃detʁɛlɔ̃tɑ̃ /

interlocuteur
ʒespɛʁkəsadegœlaspatrolsɔllakɔl]

Le pourcentage global, sans correction, nous donne : nombre de e muets possibles : 88 / nombre de e muets réalisés : 20. Soit 22 %, c'est-à-dire un pourcentage assez bas qui correspond à l'impression de discours familier qui se dégage du texte.

Mais cet indice brut est trop grossier ; il est indispensable d'examiner ces chiffres à la lumière du fonctionnement de ces e muets, car, aussi bien parmi les 20 e maintenus que parmi les 68 qui chutent, il en est des obligatoires et des facultatifs, compte tenu de ce que le locuteur GP est parisien.

Sur les 20 e maintenus, 13 succèdent à deux consonnes et sont par conséquent obligatoires. Dans 11 de ces cas, c'est la chute d'un premier e qui a entraîné la rencontre des deux consonnes : malgré des césures de mots et des natures de consonnes assez variées, c'est donc toujours le schéma (2) qui s'impose. Quant aux 7 cas où le e suit une seule consonne, 2 figurent dans l'expression *le onze*, l'un des rares cas de maintien obligatoire. Seuls 5 e, suivant une seule consonne, sont réellement facultatifs.

Reste alors à qualifier les e qui sont tombés. Doivent être considérés comme de chute obligatoire : 5 e en finale de groupe rythmique, 8 en finale de mot devant voyelle (élision proprement dite), et 14 en finale de mot devant consonne et ailleurs qu'en série (*semaine prochaine*). Soit 27 e.

Il faut ensuite tenir compte des séries : le texte de GP comporte 13 séquences de syllabes contenant des e muets. Une seule en présente trois (*on l(e) ref(e)ra*), qui réalise un schéma de chute des impairs si l'on ne tient compte que de la séquence de e muets, mais de chute des pairs si l'on traite *on* comme première syllabe du groupe rythmique (ce qui semble plus juste).

Les douze autres cas sont des séquences de deux syllabes et montrent une certaine régularité. Cinq d'entre elles présentent la séquence *que je*, avec deux réalisations différentes selon ce qui suit : *qu(e) je* quand c'est un verbe (*fasse, déconne*), et *qu(e) j(e)* quand c'est le pronom *lui*. Le corpus est trop restreint pour que l'on puisse décider s'il faut voir là un conditionnement phonologique ou un conditionnement syntaxique : nous avons ici formulé la description en faisant l'hypothèse d'un conditionnement syntaxique. Les deux occurrences de *parce que* sont sur le même schéma, la chute du *r* entraînant la réalisation *pa(r)c(e) que* (*[pas*əkə] n'est pas attesté). La séquence *je te* est réalisée *j(e) te* (selon le schéma (2)), et *demande de* est traité par la disparition de l'un des deux *de* (notre transcription orthographique choisissant lequel, d'une façon qui semble arbitraire mais qui comporte une hypothèse syntaxique). Les trois dernières séquences sont *fasse* *le con, pense que*, et *j'espère que*, sur le même schéma, et où le e final aurait pu être maintenu. Ce corpus ne présente donc pas de variation inhérente quant au e muet, ce qui est loin d'être le cas de tous les corpus.

L'apparition des e muets en séquence étant imposée, on devra défalquer comme obligatoirement présents ou absents 2 x 12 et 1 x 3 e pour les 13 séquences. On notera en revanche que, dans 3 cas où le e est précédé de deux consonnes, et donc considéré comme obligatoire, il a pu chuter (*peur de lui, faut que je lui* — deux fois).

Bilan : 68 - (27 + 27). Restent 14 e facultatifs non réalisés. Nous pouvons désormais comparer le nombre des e facultatifs prononcés (5) à celui de l'ensemble des e facultatifs (5 + 14 = 19). Le corpus réalise un taux de 26 % (5/19).

Ce travail ne cherche qu'à être indicatif d'un mode de raisonnement, permettant ainsi un cadre comparatif (par exemple, GP dans d'autres circonstances, ou un autre locuteur dans des circonstances similaires). Au-delà, il cherche à préciser la relation entre un raisonnement statistique global et un raisonnement linguistique tenant compte du fonctionnement détaillé.

4. Autres phénomènes et phénomènes liés

Il y a encore plusieurs traits du e muet qui sont à signaler, étant facteurs de variation.

— Un e muet peut apparaître en fin d'un mot qui n'en comporte pas, sur une hésitation (une sorte de pause-hésitation), la plupart du temps, semble-t-il, sur de petits mots comme *alors, donc, pour...*

— Le e muet est sensible au rythme, dans les noms composés en fonction de la longueur du deuxième mot : dans *garde-fou* et *garde-barrière, porte-clé, porte-monnaie* et *porte-parapluie*, plus le mot est court, plus il y a de chances qu'un e muet soit maintenu à la fin du premier mot.

— Un e muet peut être inséré de façon à alléger un groupe consonantique trop chargé. Les exemples en sont nombreux et évalués de façon assez négative : *lorseque, arqueboutant*. Queneau en donne un exemple avec la graphie *exeuprès*, où l'on scinde le groupe de quatre consonnes en deux groupes de deux ([eksəpre]).

— Le e muet inversé (ou interverti) est jugé très populaire : c'est ce que Martinet teste avec l'exemple *la peine d'mort [lap*ɛnədmɔr]. Nous en trouvons des exemples dans la poésie de Jehan Rictus :

(5) s'courir eul monde riche

La chute du *e* de *le* aurait risqué de conduire à un groupe de trois consonnes, évité par le déplacement de la « lubrification » qu'est le e muet. Certains de ces déplacements de lubrification permettent d'éviter une géminée si les deux consonnes sont semblables :

(6) [purərəsəvwarœ̃savwar] (pour recevoir un savoir)

Le timbre du e est également soumis à variation : selon les régions, on trouve les prononciations [œ] et [ø]. Dans le nord de la France, il n'y a pas de différence entre les sons de *beurre* et de *petit*.

L'usage méridional est tout à fait différent de l'usage parisien, et d'ailleurs différent selon les régions (Bordeaux, Toulouse, Marseille[17], où ni le timbre ni la répartition ne

17. Voir Martinet (1945). Voir aussi Fornel (1983) pour une étude sociolinguistique sur un usage bordelais. Pour le timbre du e méridional, on se souvient que Brassens (originaire de Sète) faisait rimer *les braves gens n'aiment pas que / l'on suive une autre route qu'eux.*

sont semblables). Les Parisiens caricaturent un « accent du Midi » en plaçant des e muets partout, ce qui n'est pas juste. Ainsi cette caricature (publiée dans le numéro du *Nouvel Observateur* du 19 décembre 1986) représentant Charles Pasqua, originaire de Corse :

Les chutes de e muets entraînent le rapprochement de sons, ce qui peut déclencher des phénomènes que nous étudierons plus loin : outre les interversions ou les insertions de e muets, des assimilations et des simplifications de groupes consonantiques, dont la transcription phonétique du texte de GP offre plusieurs exemples.

CHAPITRE 7

LES VOYELLES ET LES CONSONNES

Ce n'est qu'en prenant en considération l'ensemble du système français que l'on parvient à comprendre pourquoi, alors que le système des consonnes est pratiquement stable (à quelques exceptions près) depuis le XVIIe siècle, le système des voyelles est le siège de nombreux flottements, et présente à la fois variation et changement[18].

L'importance des variations[19] sur l'ensemble de la population est telle qu'elle rend nécessaire une distinction entre système phonologique minimal (partagé par tous, ou usage de convergence) et système maximal (comportant certaines variantes particulières qui révèlent par leur variation même qu'elles ne sont pas indispensables au fonctionnement).

1. Les consonnes

	bilabiale	labio-dentale	apicale	alvéolaire	prépalatale	palatale	vélaire
sourde	p	f	t	s	ʃ		k
sonore	b	v	d	z	ʒ		g
nasale	m		n			ñ	ŋ

r et l n'entrent pas dans ce tableau

On voit que le système est relativement équilibré, sauf en quelques points ; les consonnes connaissent fort peu de variation.

18. Sur l'ensemble du système des consonnes et des voyelles voir Carton (1974), Léon (1966a et 1992), Martinet (1945 et 1969), Lucci (1983a), Sauvageot (1967).
19. Voir Martinet & Walter (1973) pour un relevé des variations dont est susceptible chaque mot.

Il y a d'abord deux points de variation qui peuvent se comprendre comme des réaménagements du système : la disparition d'un phonème non intégré, et l'emprunt d'un phonème venant remplir une « case vide ».

— Le passage de [ñ] à [nj]. Le son [ñ] a une distribution dissymétrique : il ne se trouve à l'initiale que dans des termes d'argot (*gnasse, gnouf, gnole*). Chez une très grosse majorité de locuteurs, il n'est plus qu'une variante de [nj] : *oignon* se prononce [ɔnjɔ̃] et non plus [ɔñɔ̃], ce qui constitue une avancée du point d'articulation.

— [ŋ]. Selon certains auteurs, il y a là un nouveau phonème en train d'entrer dans la langue (Walter 1983). Phonologiquement, l'apparition du phonème /ŋ/ viendrait combler le trou dans le système dû à l'absence d'une vélaire nasale. Phonème ou non, ce n'est pas pour le moment une unité à distribution complète. D'après Carton 1974, on ne le rencontre que dans trois cas : 1) en finale dans le midi de la France ([mɛ̃ntənãŋ] pour *maintenant* ; 2) comme variante combinatoire d'un g nasalisé ([lɔ̃ŋminyt] pour *longue minute*) ; 3) dans les suffixes *-ing* empruntés à l'anglais (*camping, ring*...), à côté d'une francisation sous des formes diverses, dont Queneau nous donne une idée avec des graphies comme *campinge* ou *campigne*.

Les autres points de variation ne sont pas interprétables en relation avec l'organisation du système.

— Le r est une consonne connaissant de nombreuses variantes : apical roulé, uvulaire roulé ou non, grasseyé... La norme parisienne est déjà depuis plusieurs générations à l'arrière (notée [ʁ]), la réalisation grasseyée étant populaire, mais les réalisations régionales sont diverses. Le r du français de Montréal est lui aussi en train de se postérioriser, changement prenant son origine dans les groupes sociaux intermédiaires[20].

— Des consonnes qui, au moins depuis la norme du XIXe siècle, sont muettes à la finale, se mettent peu à peu à être prononcées, avec pour effet le grossissement de mots courts. C'est là un phénomène assez récent, probablement lié à l'influence de l'orthographe (orthographisme, effet d'hypercorrection) : *frêt, cinq, août, mœurs*, prononcés [frɛt], [sɛ̃k], [ut], [mœrs] ; on les trouve non seulement en finale de groupe, mais également parfois devant consonne : *cinq cents, fait constant, le coût financier* (ainsi distingué de *coup financier*, mais à quand [kupfinãsje] ?). Un tel phénomène peut s'interpréter comme un effet du « besoin de différenciation ». Frei (1929) note qu'on le trouve tout spécialement dans les nombres, où l'on comprend la nécessité d'éviter les homophones : on peut dire *vingt* avec ou sans t final, mais on dira obligatoirement [vɛ̃tsɛt], autant que [vɛ̃tɥit], ce qui montre qu'il ne s'agit pas d'une liaison. Ce phénomène, qui continue actuellement à progresser, contribue lui aussi à augmenter le nombre des syllabes fermées.

— La prononciation des géminées (que l'on a aussi analysées comme consonnes longues) est d'un développement assez récent (probablement aussi sous l'influence de l'orthographe). Elles jouent un rôle différenciateur dans quelques mots comme *netteté* ([nɛtte]), *barrera* ([barra]) ou *robe bleue* ([rɔbblø]), quand le e muet n'est pas prononcé. En outre, elles jouent un rôle morphologique dans des mots comme *courrons, croyions*, ou même *immobile*. La gémination du *l* dans *je l'ai vu* ([ʒəllevy]) est considérée comme populaire.

20. Voir Clermont & Cedergren, 1979.

2. Les voyelles

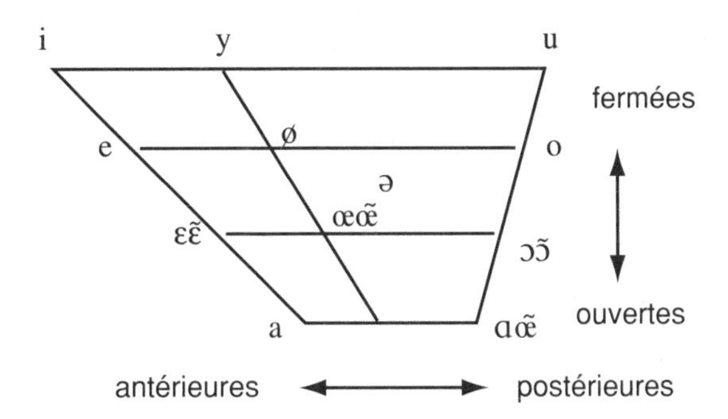

Le nombre de voyelles est très élevé : 16 si le système est complet, alors que le nombre de consonnes n'est que de 18 au maximum. Ce chiffre à lui seul explique les tendances à la simplification. On comprend assez bien, en regardant le triangle vocalique du français, où peuvent se situer les points de variation[21].

Seules les voyelles fermées sont stables. Il y a donc des variations sur les voyelles intermédiaires, les voyelles ouvertes et les nasales.

2.1. Tendance à la réduction à trois degrés d'aperture

Le système français, avec quatre degrés d'aperture, s'avère particulièrement lourd. Aussi constate-t-on un certain flottement dans les degrés semi-ouvert et semi-fermé, ce qui concerne six voyelles :

— [e] / [ɛ] (rétractées antérieures)

— [o] / [ɔ] (arrondies postérieures)

— [ø] / [œ] (arrondies antérieures)

Pour chacun des trois couples en cause, il faut distinguer entre la position d'opposition (celle qui permet de continuer à dire qu'il s'agit bien de phonèmes) et les positions où aucune opposition n'est possible.

La position d'opposition n'est pas la même pour chacun des trois couples : syllabe finale ouverte pour [e] / [ɛ] (*chanter* / *chantait*), monosyllabe fermé pour les deux autres couples (*saute* / *sotte, jeûne* / *jeune*).

Le rendement de l'opposition est très faible pour [o] / [ɔ] et pour [ø] / [œ]. Pour [o] / [ɔ], tout au plus y a-t-il une vingtaine de couples oppositifs (*hôte* / *hotte, môle* / *molle...*), dont les termes n'appartiennent généralement pas à la même classe grammaticale (le risque de confusion est ainsi éliminé par la syntaxe). Il est encore plus faible pour [ø] / [œ], qui ne connaît que deux couples oppositifs (*veûle* / *veulent, jeûne* / *jeune*). Le coût du maintien de l'opposition est donc absolument disproportionné par rapport au service morphosyntaxique rendu.

21. Outre les travaux déjà cités, voir Lennig (1979). Les études de points particuliers du système sont aussi très nombreuses.

Les choses sont un peu différentes pour [e] / [ɛ], qui imposent de distinguer deux cas morphosyntaxiques.

1. Partout sauf dans le système verbal : le nombre de paires est assez important, mais concerne soit des termes qui n'appartiennent pas à la même classe grammaticale (*laid / lait / les*), soit des noms distingués par le genre (*poignée / poignet*) ; les quelques cas de confusion potentielle qui demeurent pourraient s'inscrire dans la longue liste des homophones que connaît le français.

2. Dans le système verbal, l'opposition est investie grammaticalement, pour les verbes du premier groupe, dans la distinction infinitif ou participe passé / imparfait, où elle ne joue cependant qu'un rôle d'appoint à une distinction toujours assurée par la syntaxe ; quant à l'opposition entre futur et conditionnel à la première personne du singulier, c'est à la faiblesse de l'opposition phonologique qu'est due la fréquence de la confusion, qui n'est jamais faite aux autres personnes.

On doit donc conclure d'une étude du rendement que les oppositions entre voyelles semi-fermées et voyelles semi-ouvertes ne sont pas indispensables au système français, ce qui est confirmé par le français méridional : si ces trois oppositions étaient indispensables au bon fonctionnement du système, elles ne sauraient disparaître comme elles le font dans l'usage méridional.

Dans toutes les positions qui ne sont pas celles d'opposition, la réalisation obéit à la tendance suivante : en syllabe fermée, la voyelle est ouverte (*mer, porc, peuple*), et en syllabe ouverte, la voyelle est fermée (*vélo, polo, heureux*). Quelques exceptions existent, systématiques devant certaines consonnes (*rose, chanteuse*).

2.2. Tendance à la simplification

D'autres points fragiles laissent une simplification se faire jour, à la fois à cause de la faiblesse du rendement et d'une distribution dissymétrique.

La distinction entre [a] antérieur et [ɑ] postérieur se simplifie ; soit au profit du [a] d'avant, beaucoup plus fréquent à la fois dans le lexique et dans le discours, soit en donnant naissance à un [a] unique moyen légèrement antérieur[22], ce qui est conforme à la tendance à l'avancée.

[ɛ̃] et [œ̃] ne distinguent que de rares couples (*brin / brun, empreint, emprunt*), de toute façon distingués par la morphosyntaxe : une simplification se produit, au profit du plus fréquent, [ɛ̃].

L'enquête de Martinet (1945), confirmée par celles de Reichstein et de Deyhime, a montré que ces simplifications étaient déjà fort avancées sur une importante partie du territoire français.

22. Ce qui n'empêche que le [ɑ] postérieur puisse se conserver à titre de variante. Mettas (1970) s'appuie sur la différence d'usage entre aristocratie et haute bourgeoisie d'une part, bourgeoisie d'autre part, pour dégager le [ɑ] vélaire du style « Marie-Chantal », opposé au [a] antérieur des milieux bourgeois.

2.3. Autres phénomènes

On peut encore signaler :

— La dénasalisation des voyelles nasales avec prononciation d'une consonne nasale, telle qu'elle apparaît dans le Midi, qui constitue un archaïsme (*chanter* prononcé [ʃɑnte]) ;

— la tendance à l'avancée de certains sons d'arrière, comme celle du [ɔ] étudiée dans l'un des articles de Martinet (1969) ; c'est par une telle prononciation que nous nous expliquons certaines graphies fautives relevées sur des vitrines : *Beaujolais* écrit *Beaujelais, potiron* écrit *petit rond.* Selon Lennig (1979), la chaîne de mutations qui a conduit à cette avancée est désormais interrompue, et le mouvement s'inverse.

En outre, certains usages soignés ou régionaux possèdent encore des oppositions de longueur, en principe disparues de l'usage standard : [mɛtr], *mettre*, avec [ɛ] bref / [mɛːtr], *maître* avec [ɛ] long.

CHAPITRE 8

LES FACILITÉS DE PRONONCIATION

Les phénomènes pris en considération jusqu'à présent l'ont été sans qu'il soit tenu compte de l'enchaînement discursif. Or, celui-ci, par les rencontres qu'il provoque, entraîne certaines conséquences aux points de jointure des sons ou des mots. Dans les termes de Frei, on dira que ces phénomènes sont des effets du conformisme discursif. C'est dire aussi que l'on quitte le domaine qui intéresse la phonologie pour celui de la phonétique[23].

D'un point de vue physique, on voit pourquoi ces phénomènes reçoivent le nom de « facilités de prononciation » : ils se produisent d'autant plus fréquemment qu'il y a moins de surveillance et que le débit est plus rapide ; jugés de façon négative, ils constituent des indicateurs sociolinguistiques.

1. Les assimilations

Une assimilation peut se produire quand, soit naturellement à l'intérieur d'un mot, soit à la jointure entre deux mots, soit à la suite de la chute d'un e muet, il y a contact entre deux consonnes de nature différente[24], ce que nous pouvons représenter comme la suite *C1C2*. L'assimilation est une tendance, jamais absolument complète : tout au plus peut-on constater (et vérifier sur appareil) qu'un son tend à prendre une partie des caractères d'un son voisin.

L'assimilation est le plus souvent (comme on peut le supposer étant donné les caractères généraux du français) régressive (ou anticipante), c'est-à-dire que c'est la nature de la seconde qui influence la nature de la première. En effet, quand deux consonnes se suivent, la première est implosive et la seconde explosive ; c'est donc celle-ci qui est en position forte.

23. Ou plutôt, on se trouve dans la zone des rapports entre phonétique et phonologie que l'école de Prague et Martinet pour le français ont théorisé sous le nom de « neutralisation ».

24. Martinon (1913) écrit : « Pour prononcer exactement *obtenir*, il faudrait un effort qu'on ne fait jamais, pas plus en vers qu'en prose, pas plus en discourant lentement qu'en parlant vite. » Il appelle ce phénomène « accommodation ».
Les phénomènes que l'on peut ranger sous les « facilités de prononciation » jouent un rôle tellement important en français que tous les auteurs traitant de phonologie, tout en s'intéressant un tant soit peu à la variation, en font état.

Nous allons classer les assimilations en fonction de celui des caractères articulatoires des consonnes qui est en cause : la sonorité, le mode d'articulation, ou le point d'articulation.

1.1. Assimilation de sonorité

C'est là l'assimilation la plus souvent notée, au point qu'en l'absence de précision, c'est toujours d'elle qu'il s'agit. On distinguera trois cas :

1. C2 est une sourde phonologique (c'est-à-dire qu'il existe une sonore ayant les mêmes point et mode d'articulation). Si C1 est également une sourde, il n'y a pas de problème. Si en revanche C1 est une sonore, il y a une tendance très forte à son assourdissement :

(1) [ʃpɑ̃s] (je pense)[25]

(2) [ʃkrwa] (je crois)

(3) [otsɛn] (Hauts-de-Seine)

(4) [bokutsyksɛ] (beaucoup de succès)

Sa fréquence et sa force la rendent peu classante, parce qu'elle est presque systématique. Elle fait d'ailleurs partie des rares traits notés dans les transcriptions littéraires de l'oral :

(5) ch'pense

Quand elle n'est que partielle, elle est notée à l'aide d'un diacritique, un petit rond sur ou sous la consonne : b̥

2. C2 est une sonore phonologique (il existe une sourde de mêmes point et mode d'articulation). Ce cas devrait être le symétrique du précédent, mais ce n'est pas tout à fait ce qui se passe. Si C1 est sonore, il n'y a pas de problème. Mais si C1 est sourde, elle est tendanciellement sonorisée :

(6) [dezvɑ̃] (décevant)

(7) [espɛzdəkɔ̃] (espèce de con)

(8) [grozbiz] (grosses bises)

Il existe aussi un diacritique permettant de noter une sonorisation partielle, un petit v souscrit ou suscrit : p̌. Le phénomène étant moins net que le précédent, il serait intéressant de tester les différences selon la nature de C2 (une occlusive entraîne-t-elle plus fortement l'assimilation que ne le fait une fricative ?).

L'explication en termes de sourde / sonore ne permettant pas de comprendre la dissymétrie entre ce cas et le précédent, il nous semble qu'il faudrait la remplacer par une explication en termes de forte / douce. La sourde étant une forte, elle a plus de pouvoir assimilateur que n'en a la sonore, qui est une douce. D'où l'assimilation plus complète quand C2 est sourde.

3. C2 est une sonore non phonologique (il n'existe pas de sourde correspondante : ceci concerne les nasales et les liquides, qui sont des sonores phonétiques, mais non phonologiques) :

(9) [izraɛl] / [israɛl] (Israël)

(10) [sosjalizm] / [sosjalism] (socialisme)

25. Dans les termes de Martinet, on a sur [ʃ] une neutralisation de l'opposition sourde / sonore, qu'il représenterait au moyen d'un archiphonème.

Ce cas ne peut être simplement assimilé au précédent dans la mesure où une sonore non phonologique, même si elle est à l'attaque, peut sans dommage pour la compréhension perdre sa sonorité (l'assourdissement n'est alors même pas perçu, pour autant que cette sourde ne fait pas partie du système). En (9) et en (10), dans la première option C2 garde son caractère sonore et sonorise C1, et dans la seconde C2 perd sa sonorité pour s'accorder à C1 sourde (non perceptible à l'oreille). La sonorisation de C1 (première option) est ressentie comme un relâchement.

Parmi les très rares exceptions à l'assimilation régressive figure le groupe [ʃf] ([ʃfal] et non pas, du moins pour la majorité des locuteurs, [ʒval])[26], mais l'histoire du mot *joual* en français québécois, qui provient de *cheval*, atteste que cette exception n'en a pas toujours été une ou qu'elle n'en est pas une dans certains dialectes. Autre exception : *subsister* ([sybziste]). Il se pourrait que ce soit sous cette influence que l'on entend parfois *persister* prononcé [pɛrziste].

1.2. Assimilation du mode d'articulation

Elle apparaît comme moins exclusivement régressive que la précédente ; on rencontre surtout des nasalisations :

(11) [karɑ̃tɑ̃nmetje] (quarante ans de métier)

(12) [ʒəmlənmɑ̃nd] (je me le demande)

Elle peut aussi intervenir sous l'influence de voyelles nasales :

(13) [kɔ̃bjɛ̃ntɑ̃typar] (combien de temps tu pars ?)

(14) [pɑ̃nɑ̃] (pendant)

(15) [mɛ̃nnɑ̃] ou [mɛ̃nɑ̃] (maintenant)

Pour ce dernier cas, on voit que, tous les sons étant des nasales, il faudrait un effort pour maintenir la nature orale du [t] après la chute du e muet.

On rencontre également quelques cas de dénasalisation de la consonne :

(16) [psjø] (monsieur) où [m] devient [p]

1.3. Assimilation du point d'articulation

Les seuls exemples que nous en ayons trouvé réalisent une assimilation régressive :

(17) [lwikɛmprɔʃɛ̃] (le week-end prochain)

où la non-prononciation du [d] provoque un contact entre [n] et [p], qui entraîne une labialisation du [n], donc son passage à [m].

(18) [lkɛ̃ʒʒɥɛ̃] (le quinze juin)

assimilation sans doute favorisée par la proximité entre alvéolaire et prépalatale.

L'assimilation est un phénomène beaucoup plus général que ces quelques exemples ne le laissent entendre. Dès qu'il y a chaîne, il y a influence réciproque, mais toutes les assimilations ne sont pas aussi nettement perceptibles. On parle alors de colorations secondaires : vélarisation, labialisation (sensibles si l'on compare *chic* et *chou*), palata-

26. Une plaisanterie de cour de récréation atteste qu'une telle prononciation n'est pas sentie comme un phénomène d'exception : *Quel est l'animal le plus rapporteur ? C'est le cheval, parce que [ʒvaldir] à ma mère.*

lisation qui, si elles sont perçues, apparaissent comme des relâchements et contribuent à un jugement négatif sur un énoncé.

2. Les dilations

Contrairement à l'assimilation des consonnes, qui agit au contact direct, la dilation, qui concerne les voyelles, saute par-dessus les consonnes. On l'appelle aussi quelquefois « harmonie vocalique ».

2.1. Dilation de voyelles non intermédiaires

Elles sont assez peu fréquentes, la plupart du temps régressives, et concernent des mots fréquents (surtout des adverbes). Il ne s'agit pas d'un phénomène phonétique, car la même configuration vocalique ne produit pas le même effet sur un autre mot :

(19) [surtu] (surtout ; mais jamais *burnou* ne se prononcera [burnu])

(20) [atɔ̃sjɔ̃] (attention)

(21) [oʒɔrdɥi] ou [uʒurdɥi] (aujourd'hui)

(22) [mɑ̃mɑ̃] (maman)

Nous comprenons la première forme de (21) comme attraction progressive du [u] par le [o] initial, combiné à l'application de la règle définissant l'aperture selon la syllabation, qui ouvre ensuite le [o] en [ɔ]. La deuxième forme constitue simplement une dilation régressive à partir du [u]. Quant à (22), on peut également l'interpréter comme nasalisation par les consonnes (sans doute les deux phénomènes se renforcent-ils).

2.2. Dilation de voyelles intermédiaires

La dilation est beaucoup plus fréquente sur les voyelles intermédiaires, à la mesure de la faiblesse du système en ce point. Le schéma théorique laisse en effet place à quatre usages potentiels.

1. L'usage actuellement considéré comme standard à Paris : une position d'opposition et, pour toutes les autres positions, le respect de la tendance en fonction du type de syllabe (rappel : la voyelle est ouverte en syllabe fermée, et fermée en syllabe ouverte).

2. Une voyelle unique, intermédiaire ou fermée. Cet usage verrait le français évoluer vers un système à trois degrés d'aperture.

3. Un système à deux voyelles en distribution complémentaire, obéissant au schéma sur les syllabes ouvertes et fermées. Les deux degrés phonétiques de semi-ouverte et semi-fermée se réduiraient à une seule possibilité phonologique (puisqu'il n'y aurait jamais opposition).

4. Une variante du cas précédent : deux voyelles en distribution complémentaire, mais avec dissymétrie. Si une syllabe fermée entraîne toujours (sauf exception due à la nature des consonnes) une voyelle ouverte, une syllabe ouverte, bien que le schéma impose préférentiellement une voyelle fermée, permet les deux réalisations ([opera] ou [ɔpera]).

Les quatre usages coexistant à l'heure actuelle, c'est pour ceux qui disposent du quatrième qu'est susceptible d'intervenir la dilation, qui n'apparaît qu'en syllabe ouverte et ne joue qu'à l'intérieur d'un groupe accentuel :

(23) [ilaeme] (il a aimé)
(23') [ilɛmɛ] (il aimait)
(24) [ilaete] (il a été)
(24') [ilɛtɛ] (il était)

C'est ici à partir du suffixe temporel, et de façon régressive, que s'établit la forme du radical. Mais on trouve le même type de possibilité en dehors de tout suffixe, quand la réalisation de la dernière syllabe est imposée par les règles syllabiques :

(25) [efɛmɛr], ou [ɛfɛmɛr] (éphémère)

On rencontre aussi des dilations avec le déterminant pluriel *les*, sous l'influence de la voyelle de la syllabe qui suit :

(26) [lepri] (les prix)
(26') [lɛbɛl] (les belles)

C'est surtout avec [e] / [ɛ] que fonctionne la dilation, mais on trouve également des exemples avec les autres couples de voyelles intermédiaires :

(27) [pøple] (peuplé)
(27') [pœplɛ] (peuplait)

Cette sensibilité des voyelles intermédiaires à l'environnement ne fait que confirmer leur fragilité, et le fait qu'elles sont engagées dans un processus de mutation déjà fort avancé.

3. Simplifications de groupes consonantiques complexes

Pour comprendre leur rôle et leur fonctionnement, il faut rappeler le rôle du schéma canonique CVCV, où C tend à être une consonne unique. Ce serait une erreur que d'y voir un relâchement récent : au début du XVIIIe siècle, la bonne société ne prononce pas les liquides après occlusives en finale et simplifie les groupes internes ; c'est sous l'influence de l'orthographe que le XIXe siècle restitue la liquide[27]. On distinguera plusieurs cas, en tenant compte de la position et de la nature des consonnes en cause.

3.1. Simplification à l'intérieur d'un mot

Plus les groupes sont chargés, plus ils courent le risque d'être simplifiés. Ainsi, il est rare que soit toléré un groupe de trois consonnes ou plus. Mais la nature de ces consonnes joue un grand rôle dans le degré de tolérance :

(28) [kekʃoz] (quelque chose, avec chute du l après celle du e muet)
(29) [esplike] (expliquer — groupe de 4 consonnes, simplifié en 3)
(30) [esprɛ] (exprès — passage de 4 à 3 consonnes)
(31) [paskoe] (parce que, avec chute du r après celle du e muet)
(32) [ɔskyr] (obscur)

La simplification est d'autant moins stigmatisée que le groupe risquait d'être plus chargé :

(33) [iʃɑ̃tpy] (il chante plus)

27. « Au XIXe, la prononciation des groupes est devenue la normale, la simplification faisant peuple ou vieil aristocrate », écrit Cohen (1967).

(33') [ilivapy] (il y va plus)

(33) est considéré comme moins relâché que (33'), car le groupe aurait été, sans la simplification, de trois consonnes, alors qu'il n'aurait été que de deux en (33').

3.2. Simplification en finale de mot

Les cas les plus répandus concernent le r et le l postconsonantiques[28] (après occlusive ou fricative), mais il y a de nombreux exemples concernant d'autres consonnes. On distinguera trois positions, en fonction de la place du mot dans la chaîne.

— Le mot suivant commence par une consonne. Si la consonne finale de mot était conservée, on aurait un groupe de trois consonnes, que sa chute ramène à deux :

(34) [katsɑ̃] (quatre cents)

(35) non je me dégonf(le) pas

chute particulièrement fréquente qui comporte au moins une exception, où est préféré le maintien du e muet sans doute par souci de compréhensibilité, importante dans l'usage des chiffres et nombres :

(36) [katrəvɛ̃] (quatre vingts) / * [katvɛ̃][29]

Cette simplification de finales se produit aussi avec d'autres consonnes :

(37) elle res(te) sur son lit

(38) ça ris(que) de pas tenir

où la chute du [k] crée les conditions pour une assimilation :

(38') [sarizdəpatnir]

Ce phénomène est suffisamment connu pour être souvent pris en compte dans les transcriptions littéraires, spécialement pour le r :

(39) v'là ot'chose (bandes dessinées)

— Le mot suivant commence par une voyelle : c'est donc un groupe de deux consonnes qui est simplifié en une :

(40) quat(re) ou cinq

(41) une incroyab(le) histoire

— Le mot se trouve en finale de groupe rythmique ou en finale absolue :

(42) j'en veux quat(re)

(43) roah, l'aut' ! (bandes dessinées)

(44) c'est pas croyab (Queneau)

(45) rhumatis(me)

(46) tout était infec(t)

(47) le coup de food (nom d'un fast-food, avec jeu de mot sur *coup de foudre*)

La variation est ici soumise à trois types de conditionnements : phonologique (plus fréquente devant consonne que devant voyelle, et devant voyelle qu'à la finale absolue) ; syntaxique (influencée par la catégorie du mot et par sa fréquence) ; elle est enfin sujette à variation inhérente, comme en (48) et (49) :

---

28. La chute la plus fréquente, celle du r, a été étudiée par Laks (1977) sur un gros corpus recueilli en « observation participante » selon le procédé de Labov.

29. Nous précédons d'un astérisque les énoncés que nous considérons comme impossibles, mais non pas ceux qui auraient été jugés incorrects par les grammairiens et qui pourtant sont attestés dans le langage de tous les jours.

(48) quatre ou cinq

(48') quat (re) ou cinq

Ces deux énoncés ont été produits à quelques secondes de distance, dans un même contexte grammatical, dans un parler très surveillé à l'émission *Apostrophes*.

(49) Message de service : le chef de gare pour le centre de surveillance / je répète : le chef de gare pour le cent(re) de surveillance

Effet de la répétition ? La chute crée les conditions pour une assimilation :

(49') [sɑ̃ndəsyrvejɑ̃s]

3.3. Le cas de l dans les pronoms il(s) et elle(s)

La chute du *l* du pronom *il*, fréquemment dénoncée comme changement (stigmatisé) en cours, remonte à l'ancien français. Elle est, en français standard, réservée à la position préconsonantique :

(50) i(l) dit, i(l) veut, i(l) pense

On signale cependant, en français québécois[30], une extension du phénomène à la position prévocalique, ce qui constitue une difficulté de compréhension pour les Français :

(51) [ipar] — [jariv] — [ipart] — [jariv]

(51') i(l) part — i(l) arrive — i(ls) partent — i(ls) arrivent

(ce dernier sans liaison). Mais le [l] et le [z] de liaison réapparaissent en langue soutenue.

De façon semble-t-il plus récente, le comportement de [l] dans le pronom *elle* est parallèle :

(52) [kɛskɛdi]

(52') qu'est-ce qu'e(lle) dit ?

En français québécois, la voyelle de *elle* peut se confondre avec l'initiale d'un verbe commençant par une voyelle, comme on le voit en (53) et (54) :

(53) [ɛːpavny] elle est pas venue

(54) [aːriv] elle arrive

Le passage de [ɛ] à [a] est, en français de France, réservé à des usages populaires ou régionaux, et est assez fortement stigmatisé.

On peut illustrer avec ce phénomène le rôle de la formulation des règles grammaticales. Plutôt que de parler de chute du l devant consonne, on peut en effet traiter l'alternance *il a / i(l) dit*, en concevant le l comme consonne de liaison : muette devant consonne, et prononcée devant voyelle.

4. Les réductions

Un débit rapide accroît le nombre des réductions de toutes sortes : troncations ou abréviations. Celles-ci n'interviennent pas au hasard et obéissent à quelques principes, à différents niveaux.

30. Voir Walker (1985).

— Écrasement de phonèmes. Outre le cas du e muet, un certain nombre de sons sont susceptibles d'être omis, soit selon une règle indifférente au mot (cas de r et l postconsonantiques en finale), soit en fonction d'un mot : par exemple, le [y] de *tu*, qui disparaît, en usage familier, quand le verbe suivant commence par une voyelle ; règle qui, dans certains usages, peut être étendue à la position préconsonantique :

(55) [tariv]

(56) [tvabjɛ̃tkupeœ̃dwa] (tu vas bien te couper un doigt ; Savoie)

C'est aussi le cas d'un certain nombre de voyelles : *déjà, voilà* ou le *tout* de *tout à l'heure* peuvent se prononcer [dʒa], [vla] et [ttalœr][31] ; ou de consonnes :

(57) [illamisylfø] (*sur* prononcé [sy] devant consonne)

— Réduction au niveau de la syllabe. Elle a lieu surtout pour des syllabes en position inaccentuée (par exemple à l'initiale ou à l'intérieur du mot) :

(58) 'core heureux

(59) [arjastipkisramɛn] (alors il y a ce type qui se ramène)

(60) t'wah (tu vois ; bandes dessinées)

(61) tartagueule à la récré (tu vas voir ta gueule à la récré ; tu vas voir : suppose un [ɑ] allongé, et de préférence d'arrière)

— La disparition de mots est à la fois plus rare et plus contrainte. Ainsi, la réduction de *vous* clitique sujet laisse une trace sous forme du [z], alors que le suffixe verbal serait suffisant pour identifier la personne. Fait à interpréter comme signe du caractère tendanciellement obligatoire du clitique sujet :

(62) z'avez pas vu l'panneau (bandes dessinées)

En revanche, *il* impersonnel peut disparaître avec certains verbes, surtout *falloir* et *y avoir :*

(63) faudrait savoir c(e) que tu veux

31. Voir *skeutadittaleur* chez Queneau.

Conclusion de la deuxième partie

Carton (1974) a proposé une liste des traits les plus « caractérisants » sur le plan phonologique :

— nombre et nature des liaisons facultatives,
— résistance à la neutralisation des voyelles inaccentuées,
— refus des dilations,
— nombre de e muets,
— refus des assimilations,
— tension articulatoire (netteté des timbres),
— relative égalité syllabique,
— refus des traits régionaux (quand il y a lieu),
— lenteur du débit.

On voit que ces traits sont majoritairement exprimés selon des termes négatifs, qui invitent à souligner à quel point les prononciations populaire et familière sont senties comme une absence de surveillance du corps : tout le chapitre que Guiraud (1965) consacre à la prononciation en français populaire est sous le signe du « relâchement », lequel a pour conséquence un « affaiblissement ». Affaiblissement noté par exemple pour la mollesse dans la prononciation des consonnes :

(1) aor, pa, tu i(d)i : (d)o-moi (l)a (l)êt, h'é moi (k)eu j'(l)a po(r)te au (p)a(t)(r)on

C'est ainsi que Bauche (p. 48) reproduit la séquence :

(2) alors, n'est-ce pas, tu lui dis : donne-moi la lettre, c'est moi qui la porterai (c'est moi que je la porte) au patron

Bourdieu (1982) va jusqu'à parler d'hexis corporelle[32], qu'il rapporte à la posture physique de tension et de contention qu'adopteront les uns, à côté du laisser-aller des autres. Ainsi, par exemple, la centralisation observée dans l'enquête à Martha's Vineyard (exposée dans la première partie de cet ouvrage), caractéristique des traditionnalistes, pourrait se comprendre comme une « posture articulatoire à bouche resserrée »[33] .

On retrouve ainsi des hypothèses avancées par Kroch (1978), sur la langue populaire comme absence de surveillance, là où la langue standard a pour effet d'inhiber toutes les tendances naturelles.

32. Ou manifestation corporelle de l'habitus.

33. Voir, plus que Labov lui-même, l'interprétation inspirée par la sociologie de Bourdieu qu'en propose Encrevé (1976). Voir aussi les réflexions de Fonagy 1983, qui montre comment les sons postérieurs et les sons ouverts peuvent être sentis comme vulgaires.

Troisième partie

SYNTAXE

Avec la morphologie et la syntaxe, nous allons prendre en considération des phénomènes dont la nature est assez différente.

Ces phénomènes ont été beaucoup moins explorés d'un point de vue de variation que ne l'ont été les phénomènes phonologiques. Ils s'avèrent également beaucoup moins saillants : ce qui permet l'extrême rapidité de jugement avec laquelle un locuteur peut très vite situer un autre locuteur de sa communauté (quelques secondes), c'est en effet avant tout la phonologie, et peut-être surtout la prosodie. Les phénomènes morphologiques et syntaxiques ne font que venir confirmer l'exactitude de cette première intuition.

Si la variation morpho-syntaxique est l'expression de changements en cours, ceux-ci se déroulent sur une échelle de temps fort longue : alors qu'il est possible de noter des modifications phonologiques depuis le début du siècle, il est difficile de faire de même pour la grammaire (où nous avons plutôt confirmation de tendances à l'œuvre depuis longtemps).

Un autre point de différence concerne la nature des phénomènes : si en effet nous avons pu caractériser le relâchement phonologique comme expression de tendances naturelles (supprimer une consonne quand un groupe est trop chargé, assimiler l'une à l'autre deux consonnes de nature différente), rien de tel ne se manifeste en syntaxe.

Enfin, on se demandera si la variation en syntaxe peut être investie de la même façon que l'est la variation en phonologie (y a-t-il la moindre chance que ce soient les mêmes types de facteurs extra-linguistiques qui s'expriment à travers des niveaux dont le fonctionnement est si différent ?).

CHAPITRE 9

LA VARIATION EN MORPHOLOGIE ET EN SYNTAXE

Les faits grammaticaux ne manifestent pas plus d'homogénéité que les faits de phonologie. Mais l'extension à la grammaire de la notion de variation, bien établie pour la phonologie, ne va pas sans quelques difficultés.

1. Le problème de la variation en grammaire

Si la phonologie et la morpho-syntaxe ne peuvent pas être traitées de la même façon, c'est parce que en grammaire, toute forme met en jeu du sens, qui s'établit à travers un acte d'énonciation.

Considérer que deux formulations différentes peuvent avoir le même sens conduit à penser qu'il peut y avoir un contenu invariant, qui permettrait de dire la même chose avec des moyens différents, donc à laisser de côté les effets de l'emploi de telle ou telle catégorie de langue. Notons d'ailleurs que c'est la supposition implicitement mise en œuvre par la notion de « niveaux de langue », qui laisse entendre que le locuteur décide d'abord de ce qu'il a à dire, puis choisit de l'exprimer dans telle ou telle option diaphasique (pour une critique de ce point de vue, voir Gadet 1996 a).

Or, si l'on observe quelques formes typiquement orales et familières, on peut s'interroger sur le rapport qu'elles entretiennent avec leur équivalent standard supposé :

(1) des assiettes / y en avait de cachées partout

(1') ? des assiettes étaient cachées partout

(2) de toutes manières / moi / la poste / c'est loin

(2') ? la poste est loin de chez moi

(3) y a une copine à lui / le père il est monteur

(3') ? il a une copine dont le père est monteur

Pour chacun de ces couples, les deux formes ont bien peu de chances d'apparaître dans les mêmes contextes énonciatifs.

Il faut aussi s'interroger sur les rapports qu'entretiennent les formes supposées en concurrence. Par exemple :

(4) il viendra

(5) il va venir

On dit souvent que le futur synthétique tend à être remplacé par un futur périphrastique. (4) est plus court que (5), mais c'est une forme irrégulière. (5) en revanche, malgré l'irrégularité du verbe *aller*, offre un procédé de formation simple et régulier sur l'infinitif. Mais qu'en est-il de leur fonctionnement en discours ? Les deux formes apparaissent-elles dans les mêmes contextes ? ont-elles le même sens ? Plusieurs cas théoriques sont possibles :

— des locuteurs pour lesquels l'équivalence est totale ; les conditions de la disparition de l'une des deux formes (vraisemblablement la synthétique) seraient pour eux réunies ;

— des locuteurs pour lesquels chacune des deux formes a un sens spécifique. Cela n'apparaît pas nécessairement sur tous les exemples, mais certains permettent de bien faire ressortir une différence sémantique :

(6) je vais avoir un enfant

(6') j'aurai un enfant

La jeune femme qui dit (6) est sans doute déjà enceinte, contrairement à celle qui dit (6'), pour laquelle ce n'est qu'un projet.

— des locuteurs pour lesquels certains emplois appellent l'une des deux formes, alors que d'autres emplois permettent l'équivalence ;

— des locuteurs qui ne feraient appel au futur synthétique que pour certains verbes (sans doute surtout pour des problèmes de conjugaison).

Il faut aussi tenir compte des jugements de valeur : (5) ne fait sûrement pas en lui-même l'objet d'une stigmatisation. Mais son emploi exclusif est-il perçu comme tel ?

De l'exploitation en jugements sociaux à la perception d'effets sémantiques, l'éventail des possibilités est large.

2. Les phénomènes de variation

Si l'on part de l'observation selon laquelle tous les phénomènes grammaticaux ne se prêtent pas aussi facilement à la variation, il va falloir tenter de les définir, et éventuellement d'en fournir une liste.

2.1. Un bref historique

Peu de tentatives globales pour décrire un français autre que standard ont été effectuées, mais il apparaît pourtant qu'elles sont plus nombreuses dans les années 20 qu'entre les années de 30 à 70, comme si le développement du structuralisme avait en partie inhibé ce type de recherche : il est intéressant de savoir quels sont les phénomènes qui sont alors pris en considération, et comment ils sont classés.

Dans *Le Langage populaire* de Bauche (1920), il y a un décalage entre la nature des faits observés et l'organisation qu'on leur prête. La conception de la grammaire y est tout à fait traditionnelle, et les faits sont rangés sous les parties du discours : formation des mots, genres, nombres, article, substantif, pronom, verbe... La grammaire est centrée sur la morphologie, ce qui conduit par exemple à traiter les différentes combinaisons de la séquence interrogative comme des variations du pronom interrogatif. On n'aura donc pas d'aperçu général de ce qui fait variation.

Les phénomènes abordés par *La Grammaire des fautes* de Frei (1929) ne visent pas à une globalité de langue, étant organisés en fonction des « grands besoins », non sous un ordre grammatical. Néanmoins, outre une importante partie concernant le lexique et l'organisation interne du mot, ils tiennent compte du fonctionnement de la langue[1].

1. De ce point de vue, on peut comparer le traitement de la « relative de français populaire » chez Bauche et chez Frei : chez Bauche, les exemples pertinents sont présents, mais le problème n'est pas thématisé comme question grammaticale. Chez Frei, bien que ce soit sous la rubrique morphologique « pronom relatif », l'essentiel des faits qui nourriront la réflexion syntaxique jusqu'à une date récente est en place. Voir Gadet (1989).

Nous ne parlerons ici ni de Vendryès, ni de Martinon, ni de Damourette et Pichon, ni de Wartburg et Zumthor qui donnent de nombreux exemples familiers ou populaires, mais qui n'en font qu'un appoint à un exposé visant l'ensemble de la langue française.

À partir de la fin des années 60, la langue non standard redevient un objet d'étude, et c'est en 1965 que paraît une étude à visée globale : *Le français populaire*, de Guiraud (1965), qui sera repris dans Gadet (1992). Peu après paraîtra *Analyse du français parlé* de Sauvageot (1972), et vont commencer les publications du GARS (depuis 1977), dont l'objectif n'est pas spécifiquement la langue non standard, mais qui, en se donnant pour objet l'étude de la langue parlée, n'ignorent pas les formes non standard.

L'ouvrage de Guiraud comporte aussi d'importantes parties phonologique, morphologique et lexicale. Mais une partie syntaxique commence à exister en tant que telle, avec : l'emploi des modes, les formes composées, les pronoms, le décumul du relatif et l'interrogation.

L'ouvrage de Sauvageot est formulé, pour plus de la moitié de ses chapitres, sous un angle morphologique ou lexical. Cependant, des préoccupations sur l'agencement de la phrase, l'ordre des mots, l'ordre des propositions, les difficultés du français parlé, les fautes parlées, les innovations du parlé, les ambiguïtés, l'économie de l'expression... révèlent une réelle prise en compte de l'organisation grammaticale du parlé.

Quant à la revue *Recherches sur le français parlé*, elle se donne pour objectif, numéro après numéro, d'étudier différents phénomènes pour lesquels la description du parlé impose, soit par les données prises en compte, soit par les fonctionnements en cause, de modifier la description qui vaut pour l'écrit.

2.2. Des phénomènes à regarder de près

Beaucoup de grammairiens ont souligné le rôle « progressiste » de la langue parlée, par laquelle la langue évolue. D'où la nécessité de nommer cet état qui fait avancer la langue : ce sera par exemple le « français avancé » de Frei, ou le « français non standard », terme emprunté à la tradition anglo-saxonne. C'est aussi ce que nous avons voulu viser avec l'expression « français ordinaire »[2].

Ces caractérisations ne sont acceptables que si elles désignent des tendances de la langue. Les traits mis en avant, pour le plan syntaxique, sont les suivants :

— simplification dans le système temporel (passé composé *versus* passé simple[3], futur périphrastique *versus* futur synthétique, absence du subjonctif imparfait, dérivations simplifiées pour un certain nombre de verbes...) ;

— « redoublement du sujet » dans la séquence *SN + pro.*, phénomène que l'on traite souvent comme une redondance ; nous nous proposons au contraire d'analyser le clitique comme préfixe du verbe, marque de la personne ;

2. Le terme de Frei, repris en particulier par Guiraud, a connu un vif succès dans les travaux francophones récents. De même que « français non standard », que l'on trouve par exemple chez Harris (1978), Lambrecht (1980), Bossong (1981), ou Ashby (1982), il a l'avantage de ne pas introduire de distinction de nature entre phénomènes diaphasiques et diastratiques. Mais il a l'inconvénient de laisser entendre que c'est seulement par le français avancé que la langue évolue, ce qui est faux.

3. Le passé simple ne disparaît cependant pas : il reste irremplaçable dans les récits.

— disparition tendancielle des inversions, en particulier dans l'interrogation ;

— modifications dans le système des pronoms : *nous* remplacé par *on* en position sujet, avec comme conséquence une simplification dans le paradigme verbal, la conjugaison de la première personne du pluriel s'alignant sur la majorité des formes ; développement des emplois de *ça* ;

— disparition du *ne* dans la négation *ne... pas* ;

— extension de l'usage de *que* dans des emplois circonstanciels, connectifs, ou concurrençant le système des relatifs ;

— réductions phonologiques, comme *tu* réduit à [t] devant voyelle, *il y a* réduit à [ja]... ;

— prédominance de la parataxe comme mode de mise en rapport des propositions dans les phrases complexes.

Nul ne nie l'importance de ces phénomènes, que nous devrons cependant nuancer. Mais peuvent-ils être conçus comme couvrant le domaine de ce qui varie, alors que l'on ne parvient pas à caractériser linguistiquement la façon dont ils formeraient système ?

2.3. *Les « tendances » grammaticales du français*

Déterminer les tendances de la variation suppose à la fois de ne pas s'interdire un coup d'œil diachronique, et de chercher à comprendre ce qui, dans une langue, fait système : peut-on, comme on a tenté de le faire pour la phonologie, indiquer les tendances d'un fonctionnement ou d'une évolution, d'un point de vue formel et non psychologique ?

On a généralement décrit les tendances suivantes :

— Tendance à la fixité de l'ordre des mots. Ce qui fait exception à un schéma canonique de type SVO (sujet-verbe-objet) est fragilisé. C'est en particulier le cas de l'inversion (dans l'interrogation, mais aussi dans les inversions dites « stylistiques »). Cette tendance se manifeste de deux façons : le remplacement fréquent des inversions par une forme qui n'en comporte pas, mais aussi, à côté des inversions qui se maintiennent, le doublement par une forme qui laisse entendre que la valeur de l'inversion n'est plus sentie :

(7) est-ce que le schmilblick est-il vert ?

(8) peut-être nous nous sourirons-nous

Le système des clitiques ne montre que peu de signes de soumission à cette tendance sauf pour ce qui concerne le développement de l'usage de *ça* (voir Morin, 1979, Jeanjean, 1983, Maillard, 1989). Quant au système de la relative, son anomalie par rapport à l'ordre SVO peut être l'une des raisons du maintien de la « relative de français populaire »[4] .

— Tendance à l'analycité : ce qui y contrevient est tendanciellement éliminé, ébranlé, ou réalisé de façon fautive ; par exemple le système des pronoms relatifs, dont le caractère trop synthétique est exorbitant par rapport au reste du système :

(9) étudier les relations qu'il existe entre les différentes unités (écrit)

Qu'il existe peut être analysé comme « relative de français populaire », dans laquelle le pronom synthétique *qui* est remplacé par une séquence qui maintient l'ordre des mots de la phrase simple correspondante :

---

4. L'irréductibilité des pronoms (clitiques et relatifs) au reste du système, et surtout le fait qu'ils montrent le marquage en cas disparu du groupe nominal, est à la base de « l'hypothèse pronominale », exposée dans Blanche-Benveniste *et al.* (1984).

(9') il existe des relations

— Tendance à l'invariance, qui touche les accords (genre et nombre) et les concordances (temps et modes) :

(10) ils sont où, les fleurs que je vous ai offert ?

Mais le fait de dégager des tendances, pas plus qu'en phonologie, ne saurait permettre de prédire ce qui va se passer, ni comment cela va se passer.

3. Variation, diversité, hétérogénéité

Nous avons donc une liste minimale de faits variables. Mais est-ce que le traitement en termes de variation est un bon moyen pour rendre compte de ces phénomènes variables ? Et est-ce que tous les phénomènes qui n'ont pas été reconnus comme variables sont de fait renvoyés au catégorique ?

L'emploi du terme « variation » présente l'inconvénient de se conformer à un cadre offert par la tradition, qui incite à respecter les objets qu'elle a construits, même quand leur unité est imaginaire. Prenons l'exemple, sur lequel nous reviendrons, des deux énoncés suivants :

(11) il habite la rue au milieu de laquelle on a fait des travaux

(12) il habite la rue qu'on a fait des travaux au milieu

Leur point commun est dans la dénomination de « relative » que la tradition leur assigne : relative standard pour (11), de « français populaire » pour (12). En revanche, fonctionnement, conditions d'emploi, restrictions, donc probablement sens, tout est différent : comment s'agirait-il de variantes ?

C'est par conséquent ici la dénomination qui construit une problématique de variation. De là à penser que « zones stables » et « zones variables » ne sont que les produits d'une formulation… Car il y a de la diversité dans bien d'autres points. Prenons-en un exemple, l'introduction des complétives, dans les cas où constructions directe et indirecte sont possibles :

(13) je demande qu'il vienne

(13') je demande à ce qu'il vienne

(14) je consens qu'il vienne

(14') je consens à ce qu'il vienne

Sur le plan syntaxique, (13') et (14') ne représentent pas la même chose par rapport à (13) et (14) : si (14') aligne la construction de la complétive sur la forme nominale et l'infinitive (*je consens à sa venue* et *je consens à venir*), face à (14), désormais senti comme archaïque, (13') ne fait qu'aligner la complétive sur l'infinitive. Sur le plan sociolinguistique, la distinction est-elle investie socialement ou stylistiquement ? Et sémantiquement ? C'est là un champ qui, comme d'autres, pourrait être exploré.

L'hétérogénéité, le décalage, tel est l'angle d'attaque énonciatif sous lequel Cadiot aborde un ensemble de faits qu'il ne serait pas facile de regrouper d'un autre point de vue : des fonctionnements de « petits mots » comme *pour, comme,* ou *ça,* les relatives et infinitives « déictiques », comme en (15) et (16), les télescopages, les thématisations[5]… Plus qu'à leur variation, incontestable, il s'intéresse à l'effet d'une énonciation en situation, et au fait que ces objets sont rebelles à une assignation univoque de signification

5. Voir Cadiot (1976, 1979a, 1988a et b et 1992).

(15) je vois Pierre qui répare sa voiture

(16) je vois Pierre réparer sa voiture

S'interroger sur la valeur et le sens d'un énoncé pour un sujet ne peut que conduire à la prudence : nous n'avons que difficilement accès à ce que le sujet entend dans une phrase, encore plus difficilement la certitude que l'analyste y perçoit la même chose. Mais l'hétérogène et le flou ne sont pas nécessairement des gênes à la communication, comme le montre l'exemple suivant :

(17) ce type / il a vraiment reçu

Le sens exact de *reçu* dans ce contexte échappe à de nombreux locuteurs, mais pas le fait qu'il ne s'agit pas d'une qualification positive. Ce qui signifie que la communication entre locuteurs se satisfait d'une certaine étendue de flou.

4. Variation inhérente et cohérence d'un idiolecte

Que les locuteurs ne mettent pas tous ni toujours le même sens dans un même énoncé, et que ce soit malgré tout sur cette base que la communication s'effectue, nous en prendrons pour exemple les hésitations des locuteurs devant des séquences comme (18) et (18'), qui, pour les grammairiens, correspondent à des sens différents :

(18) il continue à fumer

(18') il continue de fumer

Mais les locuteurs ne semblent tomber d'accord, ni sur quoi signifie quoi, ni sur la nature de la nuance. C'est ce que j'ai cherché à vérifier avec un test, réalisé par écrit avec un groupe d'étudiants de licence. On leur demandait si le sens des deux énoncés était le même, et si non, en quoi il différait. Les réponses nous obligent à distinguer 8 cas : 14 réponses voient une action ponctuelle en (18), et une habitude en (18') ; mais 8 prétendent le contraire ; 3 disent que le sens diffère, sans précision ; 7 voient la distinction dans le trait [+ ou – humain] du sujet (humain ou source de chaleur), mais sans accord sur la séquence correspondant à chaque sens ; 1 distingue entre action générale ou spécifique (*fumer / fumer la pipe*) ; 2 suggèrent une distinction de niveau de langue, sans spécifier ; 2 affirment que l'une des deux est agrammaticale, sans accord ; enfin, 19 réponses (la classe la plus importante) disent que le sens est le même.

Certes, il faudrait s'assurer qu'il n'y a pas, comme c'est souvent le cas, distorsion entre ce que les locuteurs font vraiment, et ce qu'ils croient (ou disent) qu'ils font. Mais cette expérience conduit encore une fois à suggérer que les locuteurs, dans la communication ordinaire, composent fort bien avec le flou.

De plus, la valeur, et donc le sens d'une unité, ne sera pas semblable selon qu'elle entre ou non en opposition avec d'autres formes. Par exemple, supposons un locuteur qui n'aurait la disposition que du futur périphrastique, et un autre qui opposerait les deux futurs. En énonciation, la valeur du futur périphrastique ne serait pas la même pour ces deux locuteurs, de même que si des contraintes différentes pèsent sur le domaine d'extension d'une forme.

La même remarque s'impose quant au rapport entre l'occurrence d'une forme et les conditions (situationnelles et / ou énonciatives) de son apparition. Ainsi :

(19) qu'est-ce que t'as envie que je m'occupe ?

Si le locuteur fait aussi usage des formes standard, deux séries de corrélations doivent être explorées : celle des contraintes grammaticales sur l'emploi de cette forme (nature du verbe ? clivage ? interrogation ?), et celle des circonstances énonciatives.

Ces remarques ont une incidence sur l'observation, car, à l'observation aléatoire que nous avons pratiquée, elles invitent à substituer une observation systématique sur un ou des sujets énonciativement situés.

*

* *

On pourrait craindre qu'un modèle grammatical prenant en compte l'hétérogène ne dissolve l'idée de système. Or, Blanche-Benveniste (1983) a démontré que la dimension de l'hétérogène est coextensive au fonctionnement de la langue pour un locuteur, car même le système standard met en œuvre de l'hétérogène : l'enfant qui apprend à compter fait usage de la complémentarité dans la série *soixante, soixante-dix, quatre-vingts, quatre-vingt-dix,* que son hétérogénéité interne et sa différence avec le reste du système n'a pas empêchée de supplanter *septante, octante* (ou *huitante*), *nonante*, désormais réservée à des usages régionaux en France et hors de France (Suisse, Belgique).

CHAPITRE 10

VARIATION ET CONSTRUCTION DE L'ÉNONCÉ

La plupart des travaux concernant l'oral et le non-standard, et surtout les plus anciens, s'intéressent beaucoup plus à la morphologie qu'à la syntaxe. Aussi allons-nous essayer de traiter surtout de faits dans le cadre de ce que la grammaire désigne comme phrase : il n'est pas inutile de relever quelques problèmes qui s'y posent[6].

1. Les « outils » grammaticaux

Toutes les théories grammaticales, malgré l'affirmation d'une égale dignité de l'oral et de l'écrit, travaillent sur une langue neutralisée au profit de l'écrit standard, avec des outils adaptés à cet objectif. Peut-on traiter de la langue parlée non standard dans les mêmes termes, avec extension des données, ou bien faut-il mettre en œuvre d'autres moyens ?

1.1. L'inadéquation du cadre traditionnel

Nous ferons des remarques relevant de deux ordres :

— les interrogations fondamentales, valables aussi bien pour l'écrit que pour l'oral, sur les catégories dont une grammaire (quelle qu'elle soit) se sert pour approcher son objet, la langue. L'histoire de la grammaire montre une fréquente inquiétude devant le décalage tangible entre la diversité des structures, et ce que la grammaire doit en figer.

— les inadéquations plus directement liées à l'objet « langue parlée », qui fonctionne alors comme révélateur.

1. Le cadre d'analyse de séquences d'oral familier ne peut pas être la phrase, car ce que celle-ci suppose comme construction prévisible ne s'accorde pas avec des groupements dont on ne peut prévoir la constitution. On parlera plus justement d'énoncé, mais c'est une notion qu'on ne sait pas suffisamment définir pour la rendre opératoire.

2. La séquence orale se présentant avec son cortège de « scories », est-ce que l'on va tout prendre en compte ? Et, si l'on effectue une réduction, sur quelles bases se fera-t-elle ?

6. Nous reprenons ici, en la développant, une partie de la démonstration de Gadet & Kerleroux (1988).

3. On distingue, parmi les modes d'attachement des propositions, entre subordination et coordination. Les critiques qui peuvent être adressées à cette distinction sont nombreuses, et nous aurons l'occasion d'y revenir. D'ailleurs, la notion même de proposition, avec ses frontières fixes, peut être remise en cause par des exemples comme celui-ci :

(1) Jean regarde l'hirondelle si elle sait construire son nid (ex. de Cadiot)

4. La conception de la subordination s'avère trop étroite[7] : toute proposition qui commence par un « subordonnant » n'est pas *ipso facto* une subordonnée. Blanche-Benveniste (1982) a ainsi montré la nécessité d'opposer aux subordonnées d'autres relations aux verbes, qui n'en sont pas :

(2 a) on sait qu'il part demain
(2b) on trouve que c'est confortable
(3 a) il montre ce qu'on lui envoie
(3b) il a son père qui ne va pas bien
(4 a) il m'ordonne de m'évanouir
(4b) elle va s'évanouir
(5 a) cela veut dire « il vient »
(5b) c'est à lui que vous ressemblez

Des tests simples (comme le remplacement par un pronom), permettent d'établir que les formes en b), courantes à l'oral, sont des pseudo-subordonnées, car le verbe principal n'est pas l'élément constructeur.

5. Le déroulement d'une séquence orale oblige souvent à rechercher un élément déterminant au-delà du contexte immédiat : on est obligé de prendre en compte des séquences longues. Ainsi, dans la séquence suivante :

(6) normalement y a pas d'eau / y a pas de source / que c'est tout du lac

Que présente une difficulté d'analyse : connecteur vague ? Le fait de savoir que, auparavant dans la conversation, figurait la séquence (7), autorise à faire de *que c'est tout du lac* une complétive :

(7) est-ce que tu as reçu le papier qu'i nous ont envoyé pour expliquer d'où vient l'eau ?

6. Certaines séquences présentent des difficultés spécifiques, car elles ne reflètent pas leurs composants de base :

(8) je ne veux pas qu'on m'aime pour mon intelligence

qui ne peut être ramenée à la composition de :

(8 a) je ne veux pas qu'on m'aime
(8b) on m'aime
(8c) on aime mon intelligence

7. Si l'un des buts que s'assigne la grammaire est de pouvoir nommer et décrire tout phénomène de langue, force est de constater que certains tours, essentiellement oraux, soulèvent des problèmes. Nous n'en prendrons que quelques exemples :

(9) elle est plutôt belle comme voiture
(10) mon frère / sa voiture / elle marche vraiment pas
(11) ça fait trois bus que je rate (ex. de Blanche-Benveniste)
(12) j'ai ma mère de malade
(13) elle a son col qui s'est ouvert

---

7. En fait, la subordination orale a été assez peu étudiée. L'une des rares tentatives porte sur un oral relativement surveillé de radio (Allaire, 1973).

(14) où t'as ta femme ? (ex. de Cadiot)
(15) c'est le mien de bouquin
(16) il a fallu moi pour y aller

Quels statuts grammaticaux donner à *comme voiture, mon frère, que je rate, de malade, qui s'est ouvert, ta femme, de bouquin, moi* ?

8. Le même type d'interrogation peut être poursuivi en ce qui concerne les catégorisations. Par exemple, une catégorie comme transitif (direct ou indirect) / intransitif, sur laquelle on trouve beaucoup de variation, impose une formule de construction à un verbe. Plusieurs faits montrent que c'est là un raisonnement trop fixiste : ce que l'on appelle « usage intransitif d'un verbe transitif », qui vient annuler la distinction même (17) ; le fait que certains verbes ne se construisent pas de la même manière selon la nature du complément qui les suit (18 et 19) ; ou des phrases comme (20) :

(17) il fume mais il ne boit pas
(18) il mérite un châtiment
(18') il mérite d'être puni
(19) je me plains de son départ
(19') je me plains qu'il parte
(19") je me plains de ce qu'il parte
(20) ce qu'ils souffrent / c'est de pas avoir de vie associative dans ces grands ensembles

1.2. Propositions alternatives

Quelques grammairiens ont proposé des cadres qui, évitant de faire usage d'aucune catégorie définie de façon transcendantale, sont capables de prendre la séquence comme elle se présente, avec ses ratés éventuels, et avec ce que ces ratés peuvent apporter à la construction du sens.

C'est par exemple ce que fait GARS : la phrase n'est pas une unité de l'oral ? on ne sait comment définir l'énoncé ? la plupart des catégories utilisées ne reposent pas sur des bases définitionnelles solides ? c'est donc qu'il faut s'en passer. Se référant aux travaux de grammairiens comme Tesnière et Guillaume, ils font reposer leur cadre grammatical sur deux notions[8].

— La *configuration*, qui tire parti d'une analyse de l'énoncé oral comme combinaison de syntagmatique (la mise en chaîne) et de paradigmatique (si l'on voit les répétitions comme un piétinement dans un même emplacement syntaxique). La chaîne orale présente en effet une linéarisation de segments paradigmatiques, effet qui est effacé dans tout écrit qui n'est plus un brouillon. Une représentation de cette analyse est donnée dans « l'analyse en grille », exposée ici dans la première partie.

— La *construction*, qui se fonde sur le rôle des catégories majeures en s'appuyant sur des manipulations pour établir le rôle profond d'un SN à partir de son équivalent pronominal. Ainsi, on distinguera entre compléments qui figurent dans la valence d'un verbe, compléments qui font partie de sa rection, et compléments associés (indépendants). On retrouve en partie la distinction entre compléments essentiels et inessentiels,

8. Voir présentation dans Blanche-Benveniste et coll. (1982) pour la configuration, et Blanche-Benveniste (1981) pour la construction. Des synthèses sont présentées dans Blanche-Benveniste et coll. (1990), ou, sous forme plus brève et synthétique, Blanche-Benveniste (1993a) et Willems (1990).

en faisant appel non pas à des catégories fixes, mais au comportement de formes en contexte, et aux effets de valeur ainsi produits sur le plan sémantique.

Un tel cadre permet, par exemple, de rendre compte des « multiformulations »[9] d'un même verbe, qui ont pour effet de situer l'interprétation parmi les potentialités de langue, comme dans :

(21) *le rocher est usé* par une sorte de meule qui l'use pour faciliter le passage (ex. de Blanche-Benveniste)

où la juxtaposition au segment initial d'une forme active (*qui l'use*) permet de savoir que *le rocher est usé* est un passif et non un état.

2. La parataxe

Des problèmes comme la définition de l'énoncé, la distinction entre subordination et coordination ou la construction du verbe, posent la question du lien entre segments phrastiques : il se dit souvent que, là où l'écrit privilégierait coordination et subordination, en une formulation explicite du rapport logique, l'oral connaîtrait essentiellement une organisation parataxique (absence de lien explicite)[10], comme dans (22) :

(22) i dit qu'i peut > / j(e) suis d'accord < / i part pas > / qu'est-ce que tu veux que je fasse ? <

La parataxe doit-elle être considérée comme le procédé privilégié du « faire-sens » de l'oral ?

2.1. La parataxe comme indice

Les travaux de Bernstein, Lindenfeld ou Lentin[11] peuvent être cités comme exemples de l'utilisation en sociolinguistique de la parataxe, à laquelle ils prêtent un rôle d'indicateur sans prendre en compte son fonctionnement syntaxique.

Le sociologue de l'éducation Bernstein a cherché à expliquer l'échec scolaire massif des enfants des classes sociales défavorisées, y voyant les effets du conflit entre deux modes de codification des significations : le code restreint et le code élaboré. Dans la description linguistique qu'il donne du code restreint, majoritairement utilisé par les enfants défavorisés (d'où l'échec scolaire, l'école faisant usage du code élaboré) nous relevons les traits syntaxiques suivants :

— phrases courtes, grammaticalement simples, souvent non terminées, à syntaxe pauvre ;

— usage simple et répétitif des conjonctions ou des locutions conjonctives ;

— usage rare des propositions subordonnées [...].

9. Voir Blanche-Benveniste (1988).

10. Voir, entre autres, Vendryès (1920, p. 167) : « La langue parlée est souple et agile ; elle marque le lien des propositions entre elles par des indications brèves et simples. »
L'idée de « simplicité » du parlé revient toujours.

11. Bernstein (1971-1975), Lindenfeld (1969), et Lentin (1973). Les travaux de Bernstein portant sur l'anglais, nous ne tenons compte ici que de faits qui sont comparables en anglais et en français. Précisons enfin que ces travaux datent tous des années 70, et que les points de vue ont pu évoluer ultérieurement (par exemple, Bernstein s'est de plus en plus consacré aux aspects sémantiques).

Chacun des termes utilisés fait problème : qu'est-ce qu'une phrase courte ? (est-ce en nombre de mots ?) ; qu'est-ce que la simplicité grammaticale ? qu'est-ce qu'une syntaxe pauvre ? pourquoi est-il souhaitable de mettre des subordonnées ?

Même problématique, avec une covariation statistique, chez Lindenfeld, qui distingue deux groupes sociaux en fonction du décompte de leurs subordonnées : nombreuses et variées chez les uns, peu nombreuses et monotones chez les autres... Mais elle n'entrera pas dans le détail des fonctionnements respectifs de la relative, de la complétive ou de la circonstancielle. Or, des travaux comme l'article de Jeanjean (1983) sur les constructions de phrases complexes par des enfants montrent que, si la situation leur semble l'exiger, même des enfants en difficulté scolaire peuvent faire usage de formes réputées complexes.

Quant à Lentin, dans une étude sur l'acquisition de la syntaxe par l'enfant, elle pose une progression de la séquence (23) à la séquence (26) :

(23) i pleut / j'mets pas mes sandales

(24) i pleut / eh ben j'mets pas mes sandales

(25) i pleut / alors j'mets pas mes sandales

(26) j'mets pas mes sandales parce qu'i pleut

Lentin n'ignore pas le problème : (26) a sûrement une meilleure valorisation sociale, mais, d'un point de vue cognitif, il n'est pas sûr qu'il parvienne mieux que (23) à exprimer la saisie du rapport logique entre le temps qu'il fait et la façon de s'habiller. Ne valoriser que l'explicite segmental risque de conduire à négliger le rôle de l'intonation, et à ne pas voir ce que la modification de structure a changé dans l'ordre des mots.

On s'interrogera donc sur les présupposés grammaticaux et logiques de telles positions : ce qu'elles prêtent à l'enchâssement, et partant à la parataxe.

2.2. La parataxe et l'enchâssement dans le discours

Les travaux que nous venons d'évoquer ont en commun de concevoir la parataxe comme une simplification : il y a, plus ou moins implicitement, l'idée d'une complexification progressive entre parataxe, coordination et subordination.

Mais Auvigne et Monté (1982) ont montré à quel point de tels raisonnements étaient impuissants à caractériser une organisation syntaxique non standard. L'application, dans un premier temps, d'une hypothèse de complexité syntaxique (dénombrer les subordonnées par type et décrire leur forme) les laisse insatisfaites, car le caractère partiel de l'enchâssement rate quelque chose de la « mise en discours ». Elles reprennent donc l'analyse avec un autre objectif : tout caractériser, au fil de la séquence, et dans l'état même où cela se présente. Ce qui les conduira à la conclusion : « Il n'y a aucune construction qui ne fasse problème à un moment ou à un autre ; il n'y en a pas non plus qui ne soit bien employée au moins une fois. »

C'est dire que le processus de subordination (qu'il soit correct ou fautif) n'a pas lieu d'être en soi valorisé. En revanche, se pose la question du rôle qu'il remplit à un point donné du discours : une forme pouvant en cacher une autre, absente, une subordonnée peut valoir aussi par ce à la place de quoi elle figure. Problématique que Frei[12] avait ébauchée à propos de *que* : faut-il prêter une quelconque valeur logique à la présence

12. Frei, 1929, p. 154 *sq.*

d'un *que* dans certaines séquences où il est en excès (comme en (27)) ? En ce cas, *que* ne « complexifie » pas plus qu'une interruption ou qu'une parataxe :

(27) mais on tourne là à une discussion uniquement sur les présupposés de ta position / et que après tout quels qu'ils soient / du moment que tu arrives à la faire fonctionner (intonation suspensive).

Le problème inverse se rencontre avec l'absence d'un *que* attendu, comme dans les exemples (28) ou (29)

(28) ça fait dix-huit ans j'habite ici

(29) moi j'accepterais pas mon petit frère il fume

En (28), le dispositif *ça fait... que*, qui ne reste que sous la forme *ça fait*, permet à coup sûr d'identifier la forme, alors qu'en (29), cette identification est assurée par la succession de deux propositions qui ne devraient pas pouvoir se suivre sans lien.

2.3. La parataxe en tant que lien

En regardant la parataxe du seul point de vue segmental, on pourrait tendre à décrire les séquences à organisation parataxique comme exemptes de toute relation logique :

(29) moi / j'ai faim / je mange (ex. de Luzzati)

Si, formellement, cette séquence comporte une parataxe, l'absence de lien logique ne pourrait s'affirmer qu'en acceptant de regarder les séquences comme de purs produits segmentaux. Car la séquence (29) ne se dira pas sans une certaine intonation. C'est si vrai que, selon la signification qu'elle revêt, l'intonation ne sera pas la même (ou plutôt, selon l'intonation qui accompagne la séquence, l'interprétation ne sera pas la même) :

(29') moi< j'ai faim< je mange> (= chaque fois que j'ai faim)

(29") moi< j'ai faim> je mange> (= puisque je commence à avoir faim)

Ceci nous conduit à définir la parataxe comme un lien de nature syntaxico-intonative, conjonction d'une absence segmentale et d'une forte réalisation suprasegmentale : « L'articulation entre deux assertions est établie par le maintien de la voix sur une note relativement élevée à la fin de la première proposition, suivie d'une césure, puis d'une descente de la voix qui termine sur une note relativement basse », décrit Sauvageot (1962, p. 39). Lien que l'on ne saurait exprimer, ce que l'on fait trop souvent, comme l'intonation venant compenser la syntaxe défaillante, car ce serait encore concevoir l'intonation comme supplément. Dans ce cas, l'intonation est lien syntaxique, autant qu'un segment[13].

Parataxe ou subordination explicite, le rapport exprimé peut tout autant être simple, subtil, plurivoque, ambigu...

*
* *

13. Sauvageot de conclure : « Cette tendance vers l'assouplissement de la phrase complexe est ancienne en français. Elle aurait même triomphé bien plus rapidement si le retour à la latinité n'avait réintroduit la phrase complexe dans toute sa beauté et tout son prestige. »

Les faits que nous allons décrire dans les chapitres suivants sont du domaine de la syntaxe. Comme il n'était pas question de prétendre tout traiter, nous avons choisi des faits qui, à leur façon, constituent un ensemble. En thématisant une partie d'entre eux sous une question de grammaire (comme l'interrogation), et d'autres sous une forme de langue (comme *que*), on ne fait, tout en prenant acte d'une gêne sur la formulation, que se conformer à la tradition.

CHAPITRE 11

LA NÉGATION

Nous allons commencer par un phénomène qui se présente de façon simple parmi les faits de syntaxe dans la mesure où, comme certaines variables phonologiques, il fonctionne par présence / absence : il s'agit de la possible omission de *ne* dans les phrases négatives.

La négation a en effet, en français, pour particularité de se composer de deux éléments : *ne* + un élément qui est le plus fréquemment *pas*, mais peut aussi être *plus, personne, rien...*, deuxième élément que nous appellerons « forclusif ». Historiquement, on a assisté à une modification radicale : la négation est à l'origine *ne* seul, puis *ne* suivi d'un nom (*pas, point, goutte, mie...*), et, ces noms ayant fini par prendre une valeur négative, on peut se demander si l'on ne va pas désormais vers une négation en *pas*.

La chute des *ne* est l'un des stéréotypes les plus fréquemment soulignés comme signe d'un discours négligé, bien qu'il n'y ait, de fait, aucun locuteur pour les réaliser toujours ou les omettre toujours. Il semble d'ailleurs que la maîtrise de *ne* ne soit acquise par les enfants que tardivement par rapport à l'usage du forclusif[14].

On peut voir plusieurs raisons à cette tendance à la chute, de poids inégaux.

— *Ne* est senti comme redondant par rapport au forclusif sémantiquement plus précis.

— Il est phonétiquement faible, parce que comportant un e muet dans sa forme développée, et réduit au seul [n] devant voyelle, ce qui le rend parfois impossible à percevoir :

(1) [ɔ̃natɑ̃pa]

correspond aussi bien à *on n'attend pas* qu'à *on attend pas*, avec liaison.

— Sur le plan syntaxique, il constitue l'un des seuls obstacles à la fusion du clitique sujet et du verbe, tendance forte du français actuel.

En principe obligatoire (selon la norme), *ne* est de fait toujours facultatif : c'est donc une variable à deux valeurs, car il est présent ou absent. Ceci permet une exploitation statistique simple, car il y a 100 % de variation potentielle entre les locuteurs qui l'omettraient toujours et ceux qui le réaliseraient toujours. Si l'établissement d'un tel pourcentage a un intérêt indicatif évident (en tant que tendance du discours), il présente l'inconvénient de ne pas tenir compte du fonctionnement linguistique. Or, les occurrences de *ne* ne sont pas toutes semblables. Les facteurs de variation sont de trois ordres : linguistique (phonétique et syntaxique), diaphasique et diastratique.

14. Remarque de Pohl (1975). Nous le suivrons aussi dans l'emprunt du terme « forclusif » à Damourette et Pichon, la tradition grammaticale n'offrant pas de terme plus commode. Wartburg et Zumthor utilisent « auxiliaire », qui paraît assez maladroit.

1. Facteurs de variation linguistiques

Ils obligent à raffiner l'indicateur statistique, qui ne prend pas en compte les déterminations formelles.

1.1. Facteurs morphosyntaxiques

Ils sont de plusieurs types, de forces inégales[15].

— La nature du forclusif : la chute est plus fréquente avec *pas*. Comme *pas* est, de très loin, le forclusif le plus fréquent (80 % des occurrences environ), on peut interpréter l'absence de *ne* de deux manières, d'ailleurs compatibles : par le caractère ordinaire de *pas*, quand les autres forclusifs supposent recherche et attention, ou par la faiblesse de son apport informatif.

— La présence d'un adverbe de renforcement (*absolument, du tout...*) : elle favorise le maintien, peut-être parce que l'attention du locuteur est alors fixée sur le caractère négatif.

— La nature du sujet. La fréquence de *ne* tend à diminuer, selon que le sujet est : 1) négatif (*personne, rien, aucun + N*) ; 2) nominal, quel que soit son degré de complexité ; 3) absent en surface (phrase infinitive ou forme impérative) ; 4) pronominal ; 5) clitique (*je, elle...*) ; 6) impersonnel (*il y a, il faut...*). On peut ajouter que, si le sujet de l'impersonnel est supprimé, alors *ne* ne peut être présent :

(2) il ne faut pas

(2') il faut pas

(3) faut pas

(3') * ne faut pas

Le faible taux de maintien après un clitique sujet est cohérent avec l'analyse du clitique comme préfixe verbal de personne.

— La nature de la proposition : la disparition est plus fréquente en phrase indépendante qu'en subordonnée, ce qui rejoint les hypothèses selon lesquelles un changement apparaît en indépendante avant de s'étendre aux phrases enchâssées.

— Le mode du verbe : la chute est plus fréquente avec l'indicatif, ce qui est en partie lié au trait précédent.

— La nature et la forme du verbe : *ne* est davantage conservé avec les auxiliaires *être, avoir, devoir* et *pouvoir*, formes brèves à quoi *ne* procure plus d'ampleur phonique.

— Les formules stéréotypées : la chute est plus fréquente dans *c'est pas, faut pas...* (Moreau, 1986).

1.2. Facteurs phonétiques

Outre le débit, dont la rapidité favorise la chute de *ne*, le facteur déterminant est la nature, vocalique ou consonantique, des sons qui précèdent et qui suivent ; ce que l'on peut étudier avec le corpus suivant :

(4) nous n'arrivons pas

---

15. Voir Pohl (1965) Ashby (1976 et 1981) et Coveney (1996).

(5) nous arrivons pas ([nuzarivɔ̃pa])

(6) il n'a pas travaillé

(7) i n'a pas travaillé

(8) il a pas travaillé

(9) * i a pas travaillé

(10) tu n'arrives pas

(11) tu arrives pas

(12) t'arrives pas

(13) [ɔ̃nɑ̃tɑ̃pa]

Ce corpus permet quelques remarques :

— (4) et (5) obéissent tous les deux au schéma canonique CVCV, selon des modes différents, car (5) met en jeu une liaison obligatoire ;

— (6), (7), (8) et (9) montrent que l'on dispose d'une certaine latitude ; la seule combinaison exclue est l'absence de consonne (VV) en (9), (6) montrant qu'il peut y en avoir deux, (7) et (8) qu'il peut n'y en avoir qu'une, soit le [n] de négation, soit le [l] de *il* ;

— (10), (11) et (12) montrent que le schéma canonique n'est pas décisif, car la forme (11) est possible, quoique peut-être moins fréquente que (2) ou (10) ;

— (13) est indécidable, car on ne peut savoir si le [n] est à attribuer à la négation ou à la liaison[16].

2. Facteurs stylistiques et sociaux

On a vu que le *ne* était un lieu de variations importantes. Avant tout diachroniques, bien que les témoignages historiques oraux soient bien peu nombreux pour nous permettre de savoir ce qui s'est produit dans le passé (Ayres-Bennett, 1994). Aussi dans la différence entre oral et écrit (la rareté dans certains oraux n'atteint pas le caractère obligatoire à l'écrit, qui n'est enfreint que dans quelques slogans, généralement objets de scandale, comme l'exemple (14)) :

(14) touche pas à mon pote

Quant aux facteurs de variation diastratique et diaphasique, ils sont difficiles à isoler, du fait de leur interaction[17].

— le degré de surveillance, que l'on peut mesurer par exemple dans une conversation par la nature du pronom d'adresse (*tu* ou *vous*) : la conservation de *ne* est plus fréquente avec *vous* ;

— le débit : *ne* est davantage conservé quand le débit est lent[18] ;

— le type d'échange : il y a plus de conservation dans les récits ou les argumentations que dans les conversations ordinaires ;

16. Inutile de commenter que c'est là un facteur fréquent d'erreurs de transcription, dont de nombreux exemples apparaissent dans Bourdieu (1991), transcription d'un entretien de deux jeunes de banlieue.

17. Ils constituent néanmoins l'objectif principal de la plupart des études. Voir Sankoff & Vincent sur le français de Montréal. Pour le français de France, surtout Ashby (1976), et pour une perspective globale récente, Coveney (1996).

18. Mazière (1979) a montré le rôle classificateur du débit pour les faits syntaxiques.

— la place au sein d'une conversation, et éventuellement d'un tour de parole : on trouve davantage de chute dans la deuxième partie d'une conversation, quand le locuteur se surveille moins[19] ;

— le sexe : les femmes omettent davantage, étant en général plus innovatrices en matière de changement[20] ;

— la profession et la classe sociale : plus de conservation chez les locuteurs favorisés ;

— l'âge : il y a davantage d'omission chez les jeunes, ce qui peut s'interpréter de deux façons : soit cela confirme qu'il s'agit d'un changement en cours, soit cela indique que c'est un phénomène pour partie lié à l'âge, qui peut en venir à s'atténuer quand les jeunes s'affrontent à des enjeux de sociabilisation plus décisifs ;

— le support : l'absence de *ne* à l'écrit est rare, signe d'un niveau culturel très bas ou affectation d'oral familier[21].

Cependant, le fait d'énumérer ainsi les facteurs risque de figer la dynamique du discours, en obligeant à référer un effet à une cause.

3. Deux observations

Nous avons pratiqué deux observations, l'une destinée à étudier les facteurs stylistiques, l'autre les facteurs linguistiques.

3.1. Un même locuteur dans deux situations différentes

Il s'agit de deux enregistrements du même locuteur (FG) dans une même période, l'un pendant un petit déjeuner familial, l'autre lors d'un cours en amphithéâtre (les deux effectués à l'insu du locuteur). Ils ont permis plusieurs remarques :

— Il y a un nombre assez important de cas indécidables[22]. Ainsi, entre *il vient pas* et *i(l) n(e) vient pas*, la confusion à l'écoute est facile. Ayant constaté que nous tendions à trancher ces cas en nous laissant influencer par ce qui se faisait jour dans le reste du discours, nous avons décidé de les écarter.

— au petit déjeuner, nous ne trouvons, en une heure d'enregistrement, qu'une seule occurrence de *ne* ; encore cette occurrence unique reproduit-elle des propos prêtés à un médecin :

(15) il m'a dit si vous n'avez pas de sirop vous pouvez prendre de l'eau

Naturellement, cet exemple ne signifie pas que le médecin avait bien prononcé le *ne*, mais ne fait que donner des indications sur la représentation sociale que FG a des médecins (des gens susceptibles de prononcer le *ne*).

— le cours magistral manifeste au contraire une écrasante proportion de prononciation de *ne*. Les rares exceptions sont dans des réponses à des questions posées par les étudiants (passage du cours magistral au dialogue).

19. Sur les effets, en général, du temps qui s'écoule sur l'autosurveillance, voir Fischer (1958) et naturellement Labov.

20. Voir également Fischer et Labov. Il n'en est pas de même pour les variables sociolinguistiques stables, sur lesquelles elles se montrent au contraire plus conservatrices.

21. Voir l'abondance actuelle dans la publicité.

22. La qualité des enregistrements n'est pas excellente.

— le cours magistral comporte un épisode de colère de l'enseignant devant l'excès de bruit de l'auditoire. Nous pensions que la colère aurait pu conduire à relâcher la surveillance, mais les quatre phrases négatives alors produites comportent toutes un *ne.*

Pour ces deux situations, c'est l'enjeu situationnel qui dicte l'usage, de façon particulièrement tranchée (presque 0 %, et presque 100 %)

3.2. Plusieurs locuteurs en situation de surveillance relative

La première observation, avec ses résultats tranchés, ne nous permet pas d'explorer l'influence des facteurs linguistiques. Aussi avons-nous étudié une situation de surveillance relative, une émission d'*Apostrophes* (45 minutes de l'émission du 26 septembre 1986, avec 4 locuteurs différents). Nous pouvons faire les remarques suivantes :

— sur les 99 phrases négatives relevées, 75 comportent *ne*, et 24 n'en comportent pas, soit environ 25 % de chute ; par conséquent, il est méthodologiquement plus rapide de s'intéresser à l'absence ;

— Bernard Pivot a un taux d'omission de presque 50 % (sur 15 phrases négatives, 7 omissions), ce qui diminue d'autant la proportion pour les autres ;

— parmi les 24 non-réalisations, 8 sont dans un groupe introduit par *c'est*, et 8 après le sujet clitique *je* (taux beaucoup plus fort que le pourcentage habituel) ; les autres cas sont dispersés ;

— parmi les 24 omissions, le forclusif est *pas* pour 22 cas (ce qui correspond d'ailleurs à peu près à la proportion générale dans les phrases négatives) ; une occurrence avec *aucun*, et une avec *nulle part* ;

— deux des non-réalisations sont en relative, une troisième dans une comparative, toutes les autres en indépendante.

Le corpus est évidemment beaucoup trop limité pour généraliser, mais les tendances qui se dessinent correspondent à celles mises en lumière par les différents auteurs cités.

*

* *

On peut conclure que, à terme, la disparition est probable, car il n'y a pas de force linguistique qui joue en faveur du maintien ; mais elle ne s'effectue pas avec la rapidité que certains veulent voir. L'observation de ce qui s'est passé au Québec, où la disparition est plus avancée qu'en français de France, ajoute à la vraisemblance de cette conclusion. Mais les facteurs de conservation sont également très forts, avec le poids de la norme et de l'écrit.

CHAPITRE 12

L'INTERROGATION

Elle se caractérise en français par un « pullulement de formes différentes »[23], dans chacun des deux domaines traditionnellement distingués par les grammairiens : interrogation totale (avec réponse possible en oui / non), et interrogation partielle (avec un terme interrogatif). C'est dire que l'interrogation pose crucialement le problème de la signification à attribuer à la diversité des formes possibles.

1. Modèle théorique

1.1. Description grammaticale

Les interrogatives ne vont pas sans une intonation particulière : généralement montante dans la totale, elle est souvent descendante dans la partielle. Pour l'une comme pour l'autre, le modèle théorique comporte trois types :

— l'interrogation par inversion, qui est dite « simple » si le sujet est pronominal (phrases (1) et (3)), et « complexe » si le sujet est nominal (phrase (2)) :

(1) vient-il ?[24]

(2) Bernard vient-il ?

(3) pourquoi part-il ?

— l'interrogation par intonation, qui maintient l'ordre des mots de la phrase assertive :

(4) il vient ?

(5) il part quand ?

(5') il part à cinq heures

(6) quand / il part ?

Seule la totale constitue une pure interrogation par intonation, aucune autre marque formelle ne la spécifiant comme interrogative. La partielle, au contraire, comporte toujours un mot interrogatif.

Les interrogations partielles proposent une alternative : le mot interrogatif occupe la même place que le complément circonstanciel dans la réponse correspondante (c'est le cas en (5), à quoi correspond (5')), ou il est déplacé en tête de phrase comme en (6).

— l'interrogation par *est-ce que*, qui permet de maintenir l'ordre des mots de la phrase assertive :

23. Frei (1929, p. 158).

24. Nous conservons ici le point d'interrogation pour tous les exemples d'interrogatives.

(7) est-ce qu'il vient ?
(8) quand est-ce qu'il part ?
Généralement jugée « lourde », cette forme peut être elle-même analysée comme une inversion de *c'est que*.
Cependant, le système ne se limite pas à ces trois possibilités, qu'il faut combiner avec d'autres facteurs.
1. Les formes d'insistance, en *c'est... que*, ou par dislocation :
(9) c'est Pierre qui part ?
(10) c'est quand que Pierre vient ?
(11) Pierre / quand vient-il ?
2. La possibilité de cumuler des formes :
(12) quand est-ce que c'est qu'il est parti ?
(13) quand que c'est que c'est qu'il est venu ?
3. Pour les interrogations partielles, la possibilité de donner le nom, et d'interroger seulement sur ses déterminations :
(14) à quel syndicat il appartient ?
4. Les nombreuses possibilités de troncation ou d'écrasement phonétique :
(15) [purkwaskipar] ?
(16) [uskiva] ?
5. Le renforcement du mot interrogatif par *donc* ou *ça* (plus familier) :
(17) quand ça qu'il est venu ?
(18) pourquoi donc est-il parti ?

1.2. Corpus de phrases fabriquées

En combinant ces différents facteurs de façon systématique, dans la mesure où ils donnent lieu à des phrases acceptables, nous pouvons former un nombre très important d'énoncés, dont voici quelques exemples :
— interrogation totale :
(19) Pierre / i(l) vient ?
(20) i(l) vient / Pierre ?
(21) est-ce Pierre qui vient ?
(22) est-ce que c'est Pierre qui vient ?
(23) c'est Pierre qui vient ?
— Interrogation partielle sur le sujet[25] :
(24) qui vient ?
(25) qui est-ce qui vient ? (animé)
(25') qu'est-ce qui bouge ? (inanimé)
(26) * qui vient-il ?
(27) qui qui vient ?
(28) qui c'est qui vient ?
(29) qui est-ce que c'est qui vient ?
(30) c'est qui qui vient ?

25. À distinguer des autres cas à cause de la position préverbale qui exclut les formes par inversion et toute autre position que l'initiale pour *qui*.

(31) qui que c'est qui vient ?
— interrogation partielle portant sur l'objet direct[26] :
(32) i(l) dit quoi ?
(33) quoi / qu'i(l) dit ?
(34) c'est quoi qu'i(l) dit ?
(35) que dit-il ?
(36) qu'est-ce qu'il dit ?
(36') qui est-ce qu'il regarde ?
(37) i(l) dit quoi t'est-ce ?
(38) qu'est-ce que c'est qu'i(l) dit ?
— autre interrogation partielle[27] :
(39) quand est-il venu ?[28]
(40) quand / il est venu ?
(41) quand qu'il est venu ?
(42) quand est-ce qu'il est venu ?
(43) quand c'est qu'il est venu ?
(44) quand est-ce que c'est qu'il est venu ?
(45) quand c'est que c'est qu'il est venu ?
(46) quand que c'est que c'est qu'il est venu ?
(47) c'est quand qu'il est venu ?
(48) c'est quand est-ce qu'il est venu ?
(49) c'est quand que c'est qu'il est venu ?
(50) il est venu quand ?
(51) il est venu quand est-ce ?
(52) il est venu quand ça ?
(53) quand ça / il est venu ?
(53') quand ça qu'il est venu ?
(54) quand ça est-ce qu'il est venu ?
(55) quand ça c'est qu'il est venu ?

On remarque avant tout la difficulté pour exercer son intuition : il se peut que d'autres formes soient possibles, mais les limites de mes capacités de jugement sont atteintes. Si toutes ces formes sont disponibles pour tous les locuteurs, ce n'est sûrement pas au même degré.

Ces différentes réalisations n'apparaissent pas avec la même fréquence, selon le type de discours[29]. Par exemple, selon Al (1975), la fréquence des interrogations totales par intonation en français populaire peut aller jusqu'à 95 % ; les interrogations par inversion complexe n'apparaissent pratiquement qu'en langue soutenue, et à l'écrit bien entendu ;

26. L'objet constitue aussi un cas spécifique, à cause de la complémentarité entre *que* et *quoi*.
27. Dont nous ne prendrons ici qu'un exemple, les autres cas n'étant, sauf modifications phonologiques éventuelles, pas fondamentalement différents.
28. Parmi les pronoms, seul *ça* n'accepte pas l'inversion : *comment ça va ? *comment va ça ?*
29. Des décomptes précis ont d'ailleurs été effectués. Voir Gougenheim et coll. (163 conversations, avec des indications de fréquence) ; Pohl (1965, un millier d'occurrences chez deux locuteurs mari et femme) ; Coste (1969, un millier d'occurrences dans des conversations d'enfants) ; Terry (7 000 occurrences dans l'écrit théâtral) ; Al (1975). Tous ces auteurs présentent des résultats assez congruents. Voir aussi les cartes des dialectologues sur les différents types : Tuaillon (1975). Pour des travaux à cheval entre la syntaxe et la sociolinguistique (même si l'une ou l'autre l'emporte), voir aussi Chevalier (1969a), Behnsted (1973), Söll (1983), Coveney (1996), et, pour le français québécois, Barbarie (1982) et Lefèbvre (1982).

le français familier se distingue du français populaire par l'absence du type *quand qu'il vient* ou *quand que c'est qu'il vient*, et ceci est d'autant plus important que l'on a vu que de tels exemples étaient peu nombreux.

Les locuteurs tendent à employer, en situation non surveillée, les formes conservant l'ordre des mots de la phrase assertive simple : *est-ce que* plutôt que la forme par inversion, l'intonation plutôt que *est-ce que* (pouvant lui-même être senti comme une inversion), l'intonation sans déplacement plutôt que le déplacement.

Mais ce recours un peu simple à la notion d'économie ne suffit pas à présenter le rapport entre les différents types, que la tradition a abordé comme un problème de variantes morphologiques. Ainsi Bauche : « Ce n'est pas une question de syntaxe, mais plutôt de vocabulaire, le français « où » se traduisant en LP [langage populaire] par plusieurs mots ou expressions : *où que, où est-ce que, où c'est que, où c'est i que, où que, où que c'est que, où que c'est i que, ousque...* » (p. 136). Voilà le problème réglé avant que d'être posé ! Il l'est tout autant, me semble-t-il, chez Pohl (1965) : « Nous considérerons par exemple que nous avons une seule forme syntaxique exprimée avec plus ou moins de correction ou de négligence dans les phrases : *où est-ce qu'il va, w'est-ce qu'il va, où c'qu'il va, où qu'il va,* voire *où c'est qu'il va, où c'est-il qu'il va.* »

Si l'on n'accepte pas de régler ainsi le problème en termes de morphologie, en donnant des formes comme équivalentes, il reste à inventorier les propriétés formelles des différentes formes, ce qui permet de constater des différences[30]. D'un point de vue formel, que l'on assortira plus loin de remarques sémantiques, les différentes formes interrogatives ne sont pas des variantes.

1.3. Remarques additionnelles sur des phrases attestées

Nous allons poursuivre ces réflexions avec quelques phrases attestées :

(56) quoi est signe de quoi ?
(57) pourquoi est-ce que le locuteur accumule-t-il ainsi les formules ? (écrit)
(58) pouvez-vous m'indiquer où la mairie se trouve-t-elle ?
(59) je me demande quand part-il
(60) je sais pas qu'est-ce qu'il a voulu dire
(61) je sais pas c'est qui
(62) je comprends pas c'est quoi qu'il a dit[31]
(63) quand c'est-y que l'heure sera passée ? (Pergaud)
(64) laquelle / de robe / que je mets ?
(64') de robe, je mets laquelle ?
(65) comme robe, je mets laquelle ?
(66) on est le combientième ?
(67) mais les employeurs connaissent ils bien l'agence ? (ex. d'Al)

— *Quoi* ne peut en principe être sujet, mais on le trouve dans des formes un peu exceptionnelles comme (56) avec plusieurs interrogations.

---

30. Delaveau et Kerleroux (1984) citent, à l'appui de leur thèse selon laquelle les différentes structures d'interrogation ne peuvent pas être traitées en termes de variantes libres, un article de Huot, où il est montré qu'interrogation par inversion et interrogation par *est-ce que* n'ont pas le même comportement, par exemple vis-à-vis d'une complétive au subjonctif, que seule l'inversion permet.
31. Voir Kemp (1979), concernant le français québecois.

— (57) montre qu'il arrive qu'un seul procédé interrogatif ne soit pas suffisant pour constituer une interrogation ; nous faisons l'hypothèse qu'il s'agit de l'inversion, alors redoublée, de *est-ce que,* et sûrement d'une hypercorrection.

— (58), (59) montrent apparemment l'inverse : en tant qu'interrogatives indirectes, elles n'auraient pas dû comporter d'inversion. Contrairement à la tendance à un ordre des mots fixe, c'est pourtant à elle que semble dévolu le soin de marquer l'idée d'interrogation. Hypercorrection ? Contamination ?

— les exemples de (60) à (62) concernent des « interrogations indirectes ». L'existence d'une telle catégorie grammaticale a toujours constitué un lieu d'interrogation pour les grammairiens, difficulté que les données, plus populaires que familières, confirment en montrant qu'il y a une tendance orale actuelle à ne pas distinguer l'interrogation indirecte de l'interrogation directe.

— (63) constitue l'un des très rares exemples dont nous disposions d'une interrogation avec l'élément *ti*[32], et il est à la fois littéraire et déjà ancien. Qu'est-il arrivé à cette forme, reste de l'inversion *t-il* ([tsy] en français du Québec) ? En 1920, Bauche écrit : « Cette particule interrogative deviendra peut-être un jour la marque régulière de l'interrogation en français » (p. 134). En 1965, Guiraud souligne encore ses avantages formels. Si nous l'avions retenu comme procédé productif, il aurait fallu ajouter à notre corpus des séquences comme :

(68) tu viens ti ?

(69) c'est ti Pierre qui vient ?

(70) c'est ti qu'i (l) vient ?

(71) qui c'est ti qui vient ?

(72) qui que c'est ti qui vient ?

(73) quand c'est ti qu'il est venu ?

(74) qu'est-ce que c'est ti qu'i dit ?

(75) quand est-ce que c'est ti qu'il est venu ?

Elle nous semble cependant à peu près tombée en désuétude, limitée à quelques usages régionaux (Bretagne et Normandie), ou à de plaisantes reproductions de langage populaire. Ce qui montre que, contrairement à ce qu'ont pu penser des internalistes optimistes (dont Vendryès, 1920) qui soulignaient le parallélisme formel entre *il vient / il vient pas / il vient ti ?*, les facteurs de logique interne ne sont pas les seuls pour jouer sur l'évolution d'une langue. Et sans doute le fait que ces formes soient socialement dévaluées car ressenties comme paysannes a-t-il joué un grand rôle dans leur raréfaction.

— (64), (64') et (65) constituent des variantes de *quel* + *N*, montrant un rapport entre interrogation et thématisation.

— (66) montre un néologisme formé sur *combien*, par analogie avec les ordinaux.

— (67) est indécidable, entre l'inversion complexe et la dislocation avec reprise, qu'une intonation et une pause ne suffisent pas toujours à distinguer. Les deux procédés sont liés dans l'histoire de la langue, mais la différence de traitement dont ils jouissent dans les grammaires montre à quel point le jugement porté est idéologique : jamais une inversion complexe ne sera qualifiée de redondante !

32. Généralement abusivement transcrit *t'y*, sans justification autre que les exigences graphiques de n'écrire que des mots existants.

1.4. Distinction sémantique ou stylistique ?

La multiplicité des structures pose une question : à défaut d'être sociolinguistiquement équivalentes, les différentes formes d'interrogation sont-elles des paraphrases les unes des autres ?

Certains emplois imposent une forme à l'exclusion de toute autre, comme :

(76) vous m'avez déjà rencontré ?

reprise incrédule d'une assertion de l'interlocuteur, pour laquelle inversion et forme en *est-ce que* seraient déplacées.

S'il y a différence de sens, plusieurs formes doivent être conjointement disponibles pour un même locuteur, qui ne leur accordera pas la même signification ou n'en fera pas le même usage. C'est ce que nous semble indiquer l'épisode suivant, intervenu lors de l'interview de Mme S, locuteur populaire dont on aurait naïvement pu attendre qu'elle ne fasse usage que d'interrogatives par intonation et par *est-ce que*. Pendant son interview, quelqu'un frappe à sa porte. Sa fille va voir et revient en lui disant quelque chose qui reste inaudible. Sur un ton de voix normal (adressé à sa fille), elle prononce alors l'énoncé (77). Puis, insatisfaite de la réponse, elle crie (77') en direction de l'entrée où est resté le visiteur :

(77) qui c'est ?

(77') qui est-ce ?

Modification en fonction de l'auditeur, familier dans un cas et inconnu dans l'autre ? nuance sémantique ? Quoi qu'il en soit, Mme S sait moduler son usage des formes. Naturellement, on ne saurait tirer de là une signification stable pour chacune des deux formes ; mais c'est la capacité d'opposition que nous retiendrons.

D'autres observations montrent que, même quand un locuteur fait le plus souvent usage de la forme par intonation, il a la disposition stylistique des autres formes, comme cet enfant de neuf ans cité par Coste (1969) qui, en cours de récit, reproduit les paroles d'un noble :

(78) alors il lui dit : « dois-je vous prier… ? »

2. Description d'un corpus

Ce foisonnement de formes, pour lesquelles on ne voit pas clairement les frontières de sens, pose avant tout la question des fréquences relatives. Il nous a donc paru intéressant de confronter nos remarques théoriques à un corpus de conversations ordinaires. L'interrogation constitue en effet l'un des rares domaines de langue où une situation peut directement influer sur la fréquence des formes : certaines situations mettant en jeu des demandes de renseignements[33] entraînent une accumulation de questions.

Nous avons choisi comme corpus une série de conversations téléphoniques, avec l'hypothèse qu'on téléphone pour demander quelque chose, ou pour mettre au point

33. Certaines d'entre elles ont été exploitées, comme la consultation médicale par Lacoste, 1978. Ce travail appuyé sur l'analyse de conversation et la théorie des actes de langage ne s'intéresse pourtant pas à ce qui nous concerne crucialement ici, la forme des questions.

quelque chose qui demande un ajustement. Nous n'avons dépouillé qu'une cassette de 90 minutes, corpus qui ne permet bien sûr aucune généralisation, seulement quelques remarques.

2.1. Sélection des formes

Sélectionner les formes concernées n'a rien d'évident, en tout cas pour les (assez nombreuses) interrogations totales par intonation, car l'intonation, phénomène continu, n'est pas un critère aussi décisif qu'on le souhaiterait. Restent alors deux procédés de sélection : la présence, après l'énoncé, de segments comme *non, alors, hein...*, souvent porteurs de l'intonation montante ; mais aussi ce que la réplique peut nous apprendre sur la réception de la séquence[34], comme dans :

(79) — elle a plus besoin de sa canne (?)
— oh un tout petit peu mais vraiment peu

Ces trois critères nous laissent néanmoins avec des décisions à prendre. Nous avons finalement retenu 260 interrogations pour 90 minutes, soit une moyenne de presque trois par minute. Nous avons conservé les 49 questions rituelles (*ça va ? et toi ? ça va bien ?*), dans la mesure où leurs formes ne sont pas complètement stéréotypées.

2.2. Questions totales et questions partielles

174 questions totales et 64 questions partielles : la différence est nette. Cependant, 22 énoncés n'ont pu être classés, pour différentes raisons :

— *et alors*, invitation à poursuivre un récit ;

— un cas où, à la suite d'une hésitation, le découpage segmental ne permet pas de décider si l'interrogation est totale ou partielle :

(80) et dans la maison comment ça:: c'est:: ça: a bougé ?

— des questions totales dans la forme, qui sont en fait des recherches d'information, comme :

(81) est-ce qu'il y a des soirs dans la semaine où toi t'es disponible ?

— des hésitations qui prennent la forme de fausses questions, et ne reçoivent d'ailleurs pas de réponse :

(82) qu'est-ce que je voulais dire ?

— des demandes de confirmation sur un SN, dans la description d'un objet :

(83) — un petit cahier rouge ?
— oui
— et euh spirales ?
— oui

— des questions échos, qui reprennent ce qui vient d'être dit avec éventuellement inversion des pronoms de dialogue :

34. L'effet en retour qu'une réplique peut exercer pour décider de la nature du premier segment est l'un des traits mis en lumière par les analystes de la conversation, qui font ainsi confiance à la « compétence des membres ». Voir par exemple Conein, 1987.

(84) — comment vas-tu Mémé ?
— tout doucement
— tout doucement ?
— j'allais me coucher tu vois
— tu allais te coucher ?

— des questions en alternative, totales selon la forme mais pas par la réponse :

(85) j'appelle Bertrand ou c'est toi qui l'appelle ?

— des questions sur l'intention énonciative :

(86) comment > / j'en ai pris il y a pas longtemps ? > (il s'agit de vacances)

La répartition entre questions totales et questions partielles n'est sûrement pas le fait du hasard, car les travaux cités plus haut font la même remarque, avec souvent une proportion encore plus importante de questions totales.

2.3. Les types d'interrogatives

Pour les interrogations totales, dont nous excluons ici celles qui ne portent que sur un SN, 136 sont par intonation, 16 par *est-ce que*, et seulement 2 par inversion (une simple et une complexe — encore faut-il souligner l'aspect rituel de la seconde) :

(87) ce week-en / va-t-on voir des trucs ?

(88) Marie-Laure est-elle là ?

Dans l'usage courant, l'interrogation se fait donc la plupart du temps par intonation.

Pour les interrogations partielles, après mise à l'écart des questions sur les SN, nous constatons les résultats suivants :

— 5 sont par inversion, mais toutes les 5 avec l'adverbe *comment*, dans des échanges initiaux ;

— 11 sont en *est-ce que*, suivi d'éléments divers ;

— pour les formes avec la seule particule interrogative, 16 comportent un déplacement de celle-ci en tête de séquence (comme (89)), dont 3 avec *c'est... que* (comme (90)), 9 sont sans déplacement (la particule y occupe la place qu'a dans la phrase assertive le SN sur lequel porte la question, comme en (91) :

(89) Richard/où il en est ?

(90) c'est quand que tu reviens ?

(91) on sera en moyenne combien *a priori* ?

— 11 occurrences comportent la seule particule interrogative, ou *c'est + particule* (*pourquoi ? c'est qui ?*)

— reste enfin une forme qui a l'aspect d'une interrogation totale, mais est évidemment une partielle :

(92) — et il s'appelle ?
— Grégory

Globalement, l'interrogation par inversion est donc rare, mais l'alignement de l'ordre des mots sur la phrase assertive dans les questions partielles n'est pas un processus aussi répandu qu'on le pense.

2.4. Ultimes remarques

Nous regroupons ici quelques observations qui montrent que le cadre théorique initialement posé est trop étroit.

— Les analyses étant effectuées dans le cadre de la phrase, nous avons écarté les interrogations présentant des SN seuls. Or, elles ne sont pas rares (il y en a 26) : rituels (*et toi ?* en réponse à *ça va*), demandes de confirmation (*vingt heures trente c'est ça ?*), ou vraies questions (*avec qui ?*). Elles sont souvent introduites par *et*.

— À l'écrit, la distinction entre interrogation directe et interrogation indirecte paraît claire. Il n'en est pas de même à l'oral, car, pour ce qui concerne les partielles, la confusion segmentale peut être complète :

(93) je voudrais savoir un peu (/) à combien ça me reviendrait

Cet énoncé est indécidable, ni la pause ni l'intonation n'étant nettes, et les amorces abandonnées étant fréquentes.

Les interrogations indirectes ne sont pas rares, leur rôle modalisateur apparaissant bien dans la prudence exprimée en (94)

(94) alors je voulais savoir si ça vous ennuyait pas de passer demain à la maison éventuellement

— 10 questions sont disjonctives, en *ou pas* ou en alternative, comme :

(95) vous aurez cinq minutes pour discuter ou pas ?

(96) c'est vendredi ou c'est samedi ?

— Enfin, on remarque, parmi les questions partielles, la rareté des diverses formes de *quel + N*, que différents procédés permettent d'éviter :

(97) qu'est-ce que c'est comme syndicat ?

Bien d'autres remarques sont possibles. Mais il devient vite difficile de savoir si nous avons affaire à des caractéristiques des interrogatives, à des traits de syntaxe de la phrase, ou à des particularités du discours étudié (par exemple, l'écrasante proportion des phrases pronominales par rapport aux phrases nominales).

*
* *

Nous conclurons sur l'interrogation en soulignant que, si crise[35] il y a, cela ne prouve pas qu'il soit intéressant de traiter cette zone très complexe selon une problématique de variation. Il semble que les locuteurs aient l'usage, au moins passif (consistant à les reconnaître et les interpréter), de toutes les formes offertes par la langue, mais différentes remarques suggèrent que le recours à l'une ou l'autre n'est pas aléatoire. En outre, sauf en ce qui concerne *ti*, qui est sûrement en voie de disparition sauf peut-être dans certaines régions, aucun indice n'annonce qu'une simplification du système soit en cours. Même les formes les plus archaïques (les inversions, et spécialement l'inversion complexe) demeurent bien implantées dans les usages où elles ont cours (l'écrit, un oral un peu soutenu, ou certaines situations, comme le téléphone).

35. Le terme est de Frei, mais se trouve fréquemment dans la littérature de l'époque.

CHAPITRE 13

LA RELATIVE

La relative est l'un des phénomènes les plus fréquemment cités à l'appui de la thèse de deux usages divergents, le standard et le populaire : elle est très « classante ».

1. Le modèle théorique

Le système standard est lui-même complexe, avec la concurrence de la série en *qui* et en *lequel*. Mais à cela s'ajoute l'existence d'une série de formes non standard, sur lesquelles les grammaires sont généralement discrètes. Nous allons illustrer cette situation avec un corpus de relativisation du complément verbal en *de + SN*[36].

On rencontre surtout dix formes, qui relèvent de quatre types :

— relative standard :

(1) l'homme dont je parle

(2) l'homme de qui je parle

(3) l'homme duquel je parle

— relative dite « de français populaire » (« phrasoïde » chez Damourette et Pichon, résomptive chez Gadet 1995, usage que nous reprendrons ici), qui peut être réalisée avec un clitique (4), avec un groupe prépositionnel (5), ou un possessif (6) :

(4) l'homme que j'en parle

(5) l'homme que je parle de lui

(6) l'homme que je parle de sa femme

— relative défective :

(7) l'homme que je parle

— relative « pléonastique »[37], comportant les mêmes formes que la relative résomptive, mais avec le pronom relatif :

(8) l'homme dont j'en parle

(9) l'homme dont je parle de lui

(10) l'homme dont je parle de sa femme

36. On choisit cette forme, car c'est elle qui offre le plus de variété. En effet, pour le COD, par exemple, relative standard et relative défective auraient la même forme (*l'homme que je regarde*), de même que relative résomptive et relative pléonastique (*l'homme que je le regarde*).

37. L'absence de terminologie reconnue par tous pour ces formes que l'on ne nomme généralement guère, puisqu'on ne les décrit pas, conduit à une véritable difficulté. Nous adoptons ici en partie la terminologie de Damourette et Pichon (parmi les rares grammairiens à les prendre en compte) : c'est de leurs travaux que proviennent les termes « défective » (plutôt mal nommée, car il n'est pas très satisfaisant de caractériser une forme par un manque), et « pléonastique ».

Les statuts sociolinguistiques de ces différents types de phrases ne sont pas semblables : seules les relatives standard sont reconnues par la norme. Les résomptives et les défectives sont dites d'un usage « populaire » (ce qui ne signifie ni que des locuteurs non populaires ne puissent les employer, ni que les locuteurs populaires ne connaissent qu'elles) ; et les pléonastiques, produits d'hypercorrection, apparaissent, chez certains locuteurs, dans des situations surveillées.

Pour montrer les relations syntaxiques entre les quatre types, nous partirons des caractéristiques de la relative standard[38], où le relatif remplit trois rôles à la fois : délimitation, représentation et fonction.

Dans son rôle de délimitation, le relatif signale la frontière d'une phrase enchâssée, comme le fait *que* indiquant le début d'une complétive, ou la conjonction dans une circonstancielle. Dans son rôle de représentation, en « reprenant l'antécédent » et comme tout pronom, il représente un nom antérieur. Dans l'expression de la fonction, c'est sa forme qui signale la fonction du nom repris : *dont* relativise *de + SN*, *que* est complément d'objet direct (COD) ...

C'est là un système lourd, complexe, qui laisse comprendre à la fois que persistent les formes non standard (bien que non admises par la norme, à travers plusieurs siècles), et la fréquence des « fautes » (*dont* est souvent évité dans la conversation et dans l'écrit ordinaire, et il n'est pas rare qu'il soit employé de façon fautive). Avec son cumul de rôles syntaxiques sur une forme unique, ce système est plus conforme à la logique du latin qu'à celle du français moderne.

Si l'on considère maintenant les résomptives, on constate une diversification des points d'ancrage des différents rôles syntaxiques. *Que*, forme unique quelle que soit la fonction, n'assure plus qu'un rôle de délimitation : il n'est donc plus pronom relatif, mais peut être comparé à la conjonction de subordination d'une complétive[39]. Les deux rôles de représentation et de fonction sont assurés par un pronom. Cette forme présente ainsi un double avantage : le « décumul du pronom » est plus conforme à la logique du français moderne, et la phrase enchâssée exhibe l'ordre des mots de la phrase simple. L'usage de *que*, sorte d'écran entre les deux propositions, peut avoir des effets sémantiques, rapprochant la résomptive, soit d'une complétive, soit d'une circonstancielle[40].

Il faut ajouter que son acceptabilité est confortée par des homophonies séquentielles, (11) pouvant, du fait de la fréquente chute du [l] dans *il*, correspondre aussi bien à (11') qu'à (11") :

(11) [lɔmkipar]

(11') l'homme qui part

(11") l'homme qu'i (l) part

Les défectives exhibent le *que* du type résomptif, et l'absence de rappel du type standard. Très faciles à former, elles ont néanmoins mauvaise réputation, car elles n'indiquent

38. Malgré l'inconvénient méthodologique de risquer d'en faire la mesure-étalon de l'ensemble du système, ce qui, comme nous le verrons, n'est pas souhaitable.
Malgré le désintérêt des grammairiens, ces formes ont donné lieu à d'assez nombreux travaux, surtout dans une période récente. Voir en particulier : Guiraud (1966), Cannings (1978), Harris (1978 et 1988), Blanche-Benveniste (1980), Deulofeu (1980 et 1981), Valli (1988), Gadet (1989 et 1995), Godard (1989). Pour une synthèse et une importante bibliographie, voir Gadet (1995).

39. La tradition grammaticale n'offre pas de dénomination adéquate. Deulofeu (1980 et 1981) et Blanche-Benveniste (1980) utilisent le terme « particule », Frei parle de « séparateur » et la grammaire générative de « complementizer ».

40. Damourette et Pichon, ou Brunot, ont signalé la proximité de ces relatives avec des circonstancielles.

pas explicitement la nature du lien entre les deux phrases ; à (7), on peut prêter les interprétations :

(7 a) l'homme dont je parle

(7b) l'homme à qui je parle

(7c) l'homme pour qui je parle...

Ceci, hors contexte, les rendrait difficilement interprétables, comme (12). Mais justement, elles ne sont pas hors contexte :

(12) la cinq / c'est la seule qu'ils ont écrit

Or, les grammairiens tiennent à l'interprétabilité hors contexte : les défectives, vues comme des « dégénérescences », restent « l'apanage de la parlure vulgaire »[41] . Elles posent, de fait, un réel problème d'interprétation.

Quant aux pléonastiques, elles peuvent être analysées comme le croisement inverse : le pronom de la forme standard et le rappel de la forme résomptive. Restreint aux conditions sociales qui favorisent l'hypercorrection, leur usage est lui aussi condamné, comme laissant apparaître deux fois la même relation, une fois sous forme développée (*de lui*) ou clitique (*en*), et une fois sous forme de pronom relatif (*dont*).

Devant la complexité de cette description, on commencera par noter que, pour un locuteur qui possède les formes non standard à côté des formes standard, il n'y a pas appauvrissement du système, mais un grand nombre de formes, qui ouvre la possibilité d'un usage diversifié.

Mais les quatre types constituent-ils vraiment un système, « le système de la relative en français » ? C'est ce que les termes de notre description laisseraient induire, et c'est aussi ce que l'on pourrait conclure des parallélismes formels, entre (1) et (7), (1) et (8), (4) et (7), et (4) et (8). L'objection selon laquelle deux types comportent un pronom relatif et les deux autres non, argument pour la différence, serait balayée par la démonstration de certains grammairiens[42], selon laquelle une partie au moins desdits pronoms relatifs n'en sont pas : *qui* sujet et *que* objet.

Mais les arguments pour dire qu'il ne s'agit pas vraiment d'un système sont également forts.

D'abord, un argument ayant trait à l'histoire de ces formes : le « système » standard n'est pas le système héréditaire (hérité du latin), mais un bricolage composite, résultat de diverses interventions de grammairiens au XVIIe siècle[43]. On peut aussi avancer une restriction de théorie grammaticale : conserver le terme de « relative » pour toutes ces formes, n'est-ce pas supposer un invariant sémantique ou fonctionnel (relation entre un nom et une phrase), à quoi on attribuerait différentes réalisations formelles ?[44]

La variété même, le fait que la plupart des locuteurs sont susceptibles d'utiliser des relatives de français populaire parallèlement aux formes standard, et l'existence des pléonastiques, tous ces faits montrent que ce prétendu système n'est qu'un compromis. On suivra Deulofeu (1981) pour poser un « super-système », dont « toutes les variétés dia-

41. On a reconnu le style de Damourette et Pichon. Mais, si les relatives défectives simples n'apparaissent que chez les locuteurs populaires, elles sont plus répandues sous forme thématisée, comme *c'est ça que je t'ai parlé*. Voir plus loin.

42. Kayne (1975) et Moreau (1971). Leurs analyses sont reprises par Blanche-Benveniste (1980) et par Deulofeu (1981) pour la relative.

43. Pour l'histoire de la relative, voir Brunot, tome III, 2e partie, p. 503 *sq*.

44. Ce sont deux questions différentes que de savoir si le terme de système est adapté et si le terme « relative » se justifie pour tous les types. Il y a des langues dans lesquelles ce qui est reconnu comme relative n'a pas un fonctionnement très différent de celui de la résomptive.

lectales et sociales, y compris la variété standard, constituent des normes particulières de réalisation, exploitant chacune une partie des possibilités du système ».

L'interprétation sémantique s'avérera donc cruciale : les différents types de relatives ont-ils ou non le même sens ?

2. Phrases attestées

Avant de poursuivre plus loin la réflexion théorique, nous allons proposer un corpus de phrases attestées, recueillies d'une façon non systématique. N'y figurent ni énoncés standard, ni relatives pléonastiques (qui peuvent être considérées comme des produits aléatoires de contaminations du non-standard par le standard) :

(13) il était grand et costaud mais c'est un type que je l'ai toujours vu avec une bouteille de whisky dans le sac

(14) tu as un corps que / si tu le travailles pas dans le dos / tu perds la force du ventre

(15) c'est des choses que / qu'on soit de droite ou de gauche / on aime les lire

(16) j'ai eu peur qu'i glisse entre les doigts du taulier que, bien que ce soit un brave mec, il aimerait bien me le chouraver (Renaud)

(17) c'était un homme que, jusque de l'autre côté du plateau, on venait le trouver pour se faire arranger des affaires de famille (Giono)

(18) voilà une idée qu'elle est bonne (écrit, faisant plaisamment allusion à Coluche)

(19) j'ai un bouquin en allemand que j'aimerais bien savoir ce que ça veut dire

(20) je suis pas voleuse mais je verrais mes gosses [kizɔ̃] faim peut-être que je le ferais de voler

(21) elles sont à la portée des jeunes [kilœrsɔ̃destine]

(22) elle avait son manteau qu'elle allait régulièrement au marché avec

(23) y en a encore là qu'i doit pas y avoir grand-chose après

(24) le gars que les flics étaient dessus / i saignait comme un bœuf

(25) c'est justement le film que je t'ai parl ? suggéré d'aller voir

(26) j'ai téléphoné à Martine / qu'elle était pas là (elle = Martine)

(27) son jules était enfermé dans l'ascenseur / qu'y avait eu un court-circuit

(28) on plante pas des framboises qu'elles donnent le lendemain

(29) il a fait un film avec des copains / que ça s'appelle *Méli-Mélo*

(30) j'ai un bracelet que si j'y ajoute une chaîne de sécurité / ça me reviendrait plus cher

(31) elle me coûte cher ma salle de bain / que je me sers pas d'ailleurs

(32) la confiture que le fruit reste entier / c'est pas avantageux

(33) vous avez une figure que vous devez avoir de la température

(34) le fameux cinéma qu'on s'était donné rendez-vous vient de fermer

(35) ils ont des herbages que y a pas eu de bêtes depuis deux ou trois ans

(36) ça vient justement le jour où que j'ai du travail

Ce corpus invite à quelques remarques :

— avec la prudence qu'impose l'absence de statistiques sur la fréquence des relatives (tous types confondus) selon leur fonction, il semble que l'on rencontre plus spécialement des résomptives avec pronom COD. Nous ferons l'hypothèse que la confusion de signifiant entre *que* pronom relatif et *que* conjonction de subordination, et la proximité des structures qui en résultent, sont sensibles au locuteur :

(37) j'ai la preuve qu'il attend depuis longtemps (relative ou complétive)

— les résomptives où le pronom est sujet ou complément en *de* semblent plus marquées socialement. Pour le sujet, remarquons que, dans (20), c'est le pluriel exhibé par la liaison (qui en fait à l'évidence une résomptive, transcrite orthographiquement en (20 a)) qui la rend socialement marquée. (20b) ne constituerait pas un type aussi net, à cause de l'ambiguïté phonique montrée en (20c) et (20d) :

(20 a) je verrais mes gosses qu'i(l)s ont faim

(20b) je verrais mes gosses [ki] partent

(20c) je verrais mes gosses qui partent

(20d) je verrais mes gosses qu'i(l)s partent

Quant à (21), je l'avais longtemps considéré comme un exemple des pataquès que la complexité du système entraîne en nombre non négligeable, sans doute gênée par le fait qu'il s'agissait de chaussures (désignées par le pronom *ils*). Or, l'énoncé s'éclaire avec l'analyse :

(21') des jeunes qu'i(l)s leur sont destiné

ils étant les chaussures, et *leur* les jeunes

— (22), (23) et (24) peuvent être conçus comme variantes de résomptive : le rappel, au lieu de se faire sous forme de pronom, peut être une préposition (*avec* en (22), *après* en (23), *dessus* en (24)) — voir Zribi-Hertz (1984), qui parle de « prépositions orphelines ». Il est toutefois également possible de les interpréter comme variantes de défective, en relation avec les phrases simples[45] :

(22') elle allait régulièrement au marché avec

(23') il doit pas y avoir grand-chose après

(24') les flics étaient dessus

— (25) représente la fréquence des ratés sur ces formes, interprétables comme lapsus, comme tendance à former spontanément une résomptive immédiatement reprise en relative standard, ou comme signe d'un affaiblissement de la catégorisation en transitif direct et indirect,

— (19), (26), (27), (28) et (29) posent des problèmes de théorie grammaticale, dans la mesure où ils sont analysables de différentes façons, sans être nécessairement ambigus. Ainsi, on peut interpréter (26) comme relative ou comme coordonnée introduite par un connecteur ; (27) comme relative, circonstancielle ou coordonnée ; (28) comme relative ou circonstancielle, interprétation autorisée par l'indécidable de *donnent*, indicatif ou subjonctif… Il nous semble même que, dans la plupart des cas, l'interprétation relative, formellement autorisée, n'est pas sémantiquement la plus satisfaisante. Ceci suggère les limites, pour étudier l'oral, d'une conception de la grammaire qui assigne une étiquette, et préférentiellement une seule. Question sur laquelle nous reviendrons : peut-on envisager que la richesse sémantique d'une forme se tisse du cumul d'interprétations grammaticales ?

— nous relèverons simplement la fréquence des relatives introduites par un présentatif : ici, *c'est*, en (13), (15) et (17),

— il n'est pas rare que l'on trouve *ça* en sujet de la relative (phrases (19), (29), (30)). S'agit-il de résomptives dans lesquelles *ça* pourrait constituer une variante du clitique ? ou bien de défectives ? La difficulté à en décider montre que les deux types ne sont pas sans rapports,

45. À condition de supposer que les effets sur une phrase d'un clitique et d'un adverbe sont radicalement différents, car la résomptive se caractérise aussi par son autonomie.

— un facteur favorise la réalisation de résomptives : une incise après le *que*, que l'on trouve dans les phrases (14), (15), (16), (17), (30) ; incises de natures assez variées ; on notera d'ailleurs que dans certains cas, ce sont ces incises qui sont porteuses du pronom résomptif (tel est le cas en (14) et en (30)), ce qui rend leur analyse assez difficile. On supposera soit que l'incise, constituant une sorte d'écran, facilite la réalisation d'une résomptive, soit, explication facile, que l'incise a fait perdre le fil de la relative au locuteur et qu'elle est suivie d'une phrase indépendante (cependant, aucune de ces séquences ne comportait d'intonation suspensive),

— (36) présente une variante du pronom relatif suivi de *que*, assez rare[46], et que l'on rencontre le plus fréquemment avec *où*. On notera avec intérêt le parallèle avec un certain nombre de formes interrogatives (*quand que, quand c'est que*, et *quand que c'est que*), et de formations de subordonnants (*malgré que, comme quoi que, jusqu'à quand que*...).

Nous avons fort peu, jusqu'ici, parlé des relatives défectives. Elles ne sont pourtant pas rares, avec ici les exemples de (31) à (35). On a vu que ces formes étaient peu étudiées, étant jugées inadéquates même par les grammairiens les plus ouverts au non-standard. Aussi nous fierons-nous à Deulofeu (1981) pour affirmer que, parmi les locuteurs qui les emploient, on peut distinguer deux usages. Ceux pour lesquels elles sont limitées à un antécédent marqué du trait [+ locatif] (ce serait ici le cas de (31), (34) et (35)), et ceux pour lesquels elles sont d'un usage plus large. Notre corpus étant recueilli auprès de plusieurs locuteurs, nous ne saurions aller plus loin.

La relative défective pose quelques problèmes intéressants. Avec la restriction qu'il ne faut pas confondre les locuteurs qui ne disposeraient que d'elle (s'ils existent) et ceux qui l'opposent à une relative standard et / ou à une résomptive, on peut dire qu'elle indique un rapport entre deux objets : en (32), il y a un rapport entre « fruit » et « confiture » qui ne sera pas autrement précisé (rapport qui n'est pas rendu par les trop précis *dans laquelle, selon laquelle, pour laquelle, ...*).

On distinguera cependant deux sortes de défectives. Celles pour lesquelles la syntaxe de la phrase manifeste une « place vide » qu'il est facile d'identifier et qui dicte l'interprétation ; c'est le cas de (31), liée à (31') :

(31') je me sers pas *de* ma salle de bain

et celles pour lesquelles il n'y a pas de place vide apparente, comme (33), où le rapport entre la figure et la température n'est pas spécifié. Pour ces dernières, on peut se demander si elles ont encore lieu d'être dénommées « relatives », sinon parce qu'elles suivent un nom : elles peuvent en effet être rapprochées d'autres emplois de *que* (cf. *infra*). Donnons quelques exemples par anticipation :

(38) je vais te dire / les riches / i se font pas piquer pour une malheureuse histoire qu'i(l)s ont pas de facture

(39) c'est un chien que je suis jamais toute seule

On verra que les défectives ne se rencontrent pas dans tous les usages. Cependant, avec une thématisation, on les trouve chez la plupart des locuteurs :

(40) ce que tu te rends pas compte...

(41) ce qu'il faut s'occuper / c'est de répondre tout de suite

(42) s'il y a une chose que j'ai horreur

(43) c'est ça que je me suis rendu compte

L'énoncé (43) permet différents découpages syntagmatiques :

---

46. Mais notée par Bauche comme typique du français populaire.

(43 a) c'est de ça que je me suis rendu compte
(43b) c'est ça dont je me suis rendu compte
et, même, la forme pléonastique :
(43c) c'est de ça dont je me suis rendu compte
comme dans la séquence attestée :
(43d) ce n'est pas de ton avis dont j'ai besoin (écrit, bandes dessinées)
Nous n'avons pas, cependant, d'attestation du type :
(43e) ? c'est ça que je m'en suis rendu compte
Hasard, ou forme impossible ?

3. Interprétations sociolinguistique et sémantique

Il nous reste à caractériser les relatives du point de vue de leur source sociolinguistique. Dans notre corpus, une partie non négligeable des résomptives a été relevée dans la bouche d'universitaires ((13), (14), (19), (26), (27), (29)[47]). Mais toutes les défectives ont été relevées chez des locuteurs des classes populaires. Ce fait est lui-même à mettre en perspective : il est parfois difficile de distinguer résomptives et défectives, et l'on tend à prêter plutôt une forme plus standard à un locuteur que l'on sait instruit (ainsi en (26), produite par moi-même : j'ai tendance à y voir un connecteur !). De plus, la surveillance sociale qui pèse sur les défectives est très forte : (25), produite par un universitaire, tendra à être vue (par lui-même ou par ses auditeurs) comme un lapsus, plutôt que comme l'indice d'une autocensure de la défective qu'il s'apprêtait à produire…

Mais le fait qu'elles puissent être produites par la plupart des locuteurs n'empêche pas que résomptives et défectives constituent un stéréotype de langage populaire, ce que nous avons pu vérifier dans un texte de bandes dessinées, *Le Devin* (Astérix), où plusieurs scènes réunissent un officier et un adjudant. Sur les huit phrases populaires prononcées par l'adjudant, qui soulignent la distance sociale entre les deux hommes, cinq mettent en jeu des relatives (d'une façon qui n'est pas toujours très heureuse) :

(44) faisant la patrouille dont à laquelle vous nous aviez donné l'ordre de procéder, nous avons trouvé cet individu dont les explications qu'il nous a causées ne nous ont pas paru satisfaisantes

(45) les choses qu'il parle, là, j'ai rien compris

(46) c'est donc un imposteur, l'individu que vous avez discuté avec ?

(47) ça me rappelle un peu le quartier où est-ce que c'est que j'habite, à Rome

(48) mais nous avons dû abandonner le village que nous étions

Ces phrases montrent une certaine conscience du fonctionnement comme stéréotype, mais aussi la difficulté à en tirer parti, devant une connaissance insuffisante du vernaculaire : en (44), le relatif *dont à laquelle* est une création fantaisiste, dont nous n'avons aucune attestation autre qu'écrite[48] ; d'autre part, l'accord de *causées* (écrit oblige !) et la présence du *ne* de négation, viennent partiellement détruire l'effet

---

47. Prouvant du même coup l'inadéquation de la dénomination « relative de français populaire ». Il n'est pas certain que ce soit une relative, les locuteurs qui les produisent n'ont rien de spécifiquement populaire : la seule dénomination adéquate est qu'il s'agit incontestablement de français !
48. Prétendant imiter l'oral, et surtout l'oral populaire de « style gendarme ». Voir le personnage de Bérurier dans les livres de San Antonio.

recherché par la relative. Il y a cependant là un réel effort de compréhension des ressorts de la langue parlée.

Ce fonctionnement en stéréotype nous oblige à reposer le problème de l'interprétation des relatives non standard, car on ne peut douter qu'un universitaire qui emploie une résomptive ait parallèlement la disposition des relatives standard. En l'absence d'étude sur les systèmes comparés de locuteurs, on se contentera de quelques remarques ou hypothèses.

Jusqu'à preuve du contraire, on peut supposer qu'un francophone a la disposition, active ou passive, de l'ensemble du système : c'est dire qu'il n'est pas de locuteur pour n'avoir que des résomptives, ou que des défectives, ou que des résomptives et des défectives. Mais vu les restrictions diastratiques sur les types non standard, dont la connaissance fait aussi partie de la compétence sur la langue, certains se limitent au type standard. On peut même supposer une « stratégie »[49] qui consiste à se limiter aux relatives en *qui* sujet et *que* objet, où standard et non-standard sont congruents.

Mais un locuteur qui peut faire usage des relatives standard, des résomptives et des défectives les emploie-t-il de manière indifférenciée ? La réponse est évidemment non, sûrement à cause de la norme (il y mettrait donc une distinction sociolinguistique), mais aussi pour des raisons sémantiques.

Nous avons parlé plus haut de la différence de sens entre standard et défective. Pour la comparaison entre relative standard et résomptive, nous prendrons une phrase de Giono :

(49) la bonne soupe d'Arsule, une pleine écuellée que les bords en étaient baveux

(49') une pleine écuellée dont les bords étaient baveux

Dans (49'), tentative de transposition en une relative standard, on a perdu la nuance consécutive que manifeste (49). De même, dans (13) ou (14), *que* peut être paraphrasé par *tel que*, ce qui les rapproche de circonstancielles (cf. p. 119). Le sens de la résomptive et de la relative standard n'est pas tout à fait le même[50], et nous suivrons Damourette et Pichon qui souhaitent rendre sa dignité grammaticale à la résomptive, ce qui offrirait de nouvelles latitudes : « La relative phrasoïde fournit donc à la langue française des ressources que la relative classique ne lui donne pas. Il n'y a donc pas lieu de frapper ce tour d'une exclusive injustifiée » (§1324).

Étant donné que, pour le moment, les locuteurs ne disposent pas de ce choix, on ne peut s'étonner de la situation de trouble dans laquelle on les voit. En atteste une relative fréquence des pléonastiques, des lapsus et corrections, mais aussi des réalisations hasardeuses, tâtonnements plus que formes stables :

(50) avec les mecs que j'ai vécu / moi / c'était de la racaille

(51) c'est ça de ce que je lui parlais

4. Problèmes en suspens

Cette étude laisse de nombreux problèmes ouverts. Nous n'en évoquerons que deux.

Nous avons fait comme si les quatre types étaient possibles avec tout énoncé, courant le risque de tomber dans ce que nous avons reproché à l'analyse en termes de

49. Terme qui a l'inconvénient de supposer une démarche consciente.
50. Quoique la relative standard appositive comporte elle aussi une nuance circonstancielle.

« variantes » : supposer une essence de pensée exprimable sous différentes formes linguistiques.

Cependant, certains faits, comme la nature des déterminants des antécédents, permettent de penser que l'analyse grammaticale n'est pas conduite assez loin[51]. Tous les types sont-ils susceptibles d'avoir un antécédent avec tous les déterminants possibles ? Notre corpus n'est ni assez vaste ni assez systématique pour que l'on puisse risquer des hypothèses, mais il semblerait que les résomptives soient plus contraintes, du point de vue du déterminant de l'antécédent.

L'autre problème que nous garderons ouvert concerne la typologie des relatives. Il est probable que l'oral comporte des déterminatives, des appositives, aussi bien que tous les types qu'il est éventuellement possible de distinguer. Cependant, parmi les différents types décrits, l'un concerne particulièrement le parlé, du fait que son apparition est liée à des conditions énonciatives orales : ce sont les relatives que Cadiot (1976) a appelées « déictiques », qui mettent en cause une perception en acte :

(52) il voit Pierre qui fait démarrer sa voiture

Cadiot a montré à la fois la différence de propriétés avec la relative classique, et la relation avec une « infinitive déictique » comme (53) :

(53) il voit Pierre faire démarrer sa voiture

Nous retrouverons, en étudiant les détachements, les relations que ces relatives peuvent entretenir avec d'autres énoncés qui revêtent aussi une forme de relative, comme :

(54) il a son col qui s'est ouvert

(55) y a ton thé que t'as pas bu

(56) ça fait trois bus que je rate

*

* *

Peut-on conclure sur un diagnostic concernant l'avenir de la relative en français ? Frei (1929, p. 191) n'est pas optimiste sur son avenir à long terme : « La suppression du pronom relatif est un moment de l'évolution irrésistible qui entraîne le français vers le libre échange des signes et des syntagmes d'une fonction à l'autre. » Néanmoins, elle est trop intégrée dans le système de subordination pour paraître menacée dans l'immédiat.

51. Blanche-Benveniste (1980) et Deulofeu (1980) la poursuivent, en posant deux types distincts, un seul d'entre eux permettant la reprise par clitique.

CHAPITRE 14

QUE, SUBORDONNANT PASSE-PARTOUT

Nombreux sont les grammairiens à avoir souligné l'absence de sémantisme de *que*, l'étendue de sa gamme d'emplois et sa prolifération dans l'usage contemporain, surtout dans les registres non standard[52]. Plus rares sont ceux qui ont cherché à comprendre son fonctionnement.

1. Corpus de phrases attestées

Comme il n'est pas question de se fier à l'intuition sur un tel domaine, nous allons étudier *que* avec un corpus d'énoncés attestés. Nous en avons exclu les énoncés réputés corrects, et ceux qui ont été étudiés avec les relatives, malgré le problème que pose une telle division.

(1) t'en reveux un deuxième que tu l'as laissé bouillir ?

(2) qu'est-ce qu'il fout ce con-là / que je vais te le redépasser

(3) tu as fini par la manger ta pâtée que tu voulais pas hein / que tu m'as bien emmerdée

(4) tu es prête que je te serve ?

(5) tu sais à qui tu n'as pas téléphoné depuis longtemps et que c'est pas sympa ?

(6) — je l'aime bien quand même
— quand même que quoi ?

(7) nous le remarquons tout d'abord par la syntaxe des phrases qu'elles ne sont pas correctes

(8) ne laisse pas que Dolly le mange

(9) — qu'est-ce qui se passe ?
— il se passe qu'il est 10 heures et qu'i(l)s ont toujours pas commencé

(10) j'accuse pas qu'elle ait fait ça [il s'agit de quelque chose qu'elle a effectivement fait]

(11) je t'aime pas que tu es derrière

52. Vendryès, Damourette et Pichon, Frei, Brunot… La fréquence reconnue est bien souvent jugée de façon négative. Bauche écrit : « *Que* s'emploie à toute occasion en langage populaire, et hors de propos » (p. 103), et Bonnard (1968), plus disert sur les emplois classiques et littéraires, ne fait que signaler la relative populaire « pour mémoire ».
Les travaux modernes sur ce point ne sont pas aussi nombreux qu'on pourrait le souhaiter : Kayne (1975), Deulofeu (1980, 1986 et 1988), Gadet *et al.* (1984), Gadet & Mazière (1987), Harris (1988), Gadet (1995) ; et Berruto (1993) pour l'étude de la forme équivalente en italien, *che*.

(12) — qu'est-ce que tu veux ?
— je veux que je ne veux pas y aller
(13) quatre degrés à Lamoura le matin / qu'il a dit le boucher
(14) t'as besoin de rien que je monte ? [= est-ce que je monte quelque chose ?]
(15) — t'as l'air furieuse
— y a de quoi que je sois furieuse
(16) d'abord tes gauloises elles ont une drôle d'odeur / que ça serait de l'eucalyptus que ça m'étonnerait pas (Renaud)
(17) il m'a réparé le joint de culasse / que je croyais du moins
(18) et les copains arrivèrent en masse qu'on se serait cru au *Vendôme* le jour qu'ils ont sorti *Les Parapluies de Cherbourg* (Perec)
(19) j'ai fait un cours qu'on aurait entendu une mouche voler
(20) je vois pas pourquoi je chercherais des trucs que tu sais très bien où ils sont
(21) elles viennent discuter avec moi / que je leur suggère des trucs pour le dossier quoi
(22) il a réussi que je puisse vraiment pas le faire
(23) éreintant qu'il est mon métier (Queneau)
(24) avant je supportais le soleil / que maintenant je supporte plus
(25) y a de la place qu'on peut danser
(26) j'ai plein de choses à vous dire qu'on est pas contents du tout
(27) je préfère qu'i nous appellent beurs que avant i nous appelaient bicots
(28) donne-moi du tabac que je fume
(29) j'étais pas là depuis cinq minutes que voilà ce crétin qui rapplique
(30) qu'est-ce qui t'arrive que t'es toute trempée ? (écrit, bandes dessinées)
(31) en plus je me demande si y a pas des croûtes qu'elle s'est battue avec des chats
(32) j'te lui ai dit la chose, qu'il en était bleu (ex. de Bauche)
(33) — Bernard m'a dit de t'apporter ça
— ah oui que j'en avais besoin
(34) je vous mentionne juste le problème que je n'en parlerai pas ici
(35) je te le mettrai sous enveloppe // ou que je te le porte chez toi

2. Tentative de classement

Les grammairiens sont assez démunis pour décrire ce type d'exemples, car, comme usage standard d'une proposition commençant par *que*, ils ne reconnaissent que la complétive (sur verbe ou sur nom), la relative à pronom COD, la reprise de circonstancielle (*quand… et que…, parce que… et que…*), et quelques usages standard que l'on n'a pas retenus ici.

Que a un sémantisme assez flou (si on le compare aux autres conjonctions simples : *comme, quand* et *si*). La première hypothèse envisageable est qu'il s'agit d'une marque polyvalente de subordination, mais on ne saurait ainsi rendre compte de ses restrictions d'emploi.

On va donc commencer par proposer la classification suivante[53] :

53. Nous reprenons en partie le plan de Gadet et Mazière (1987), où figurent des exemples pour la plupart différents de ceux donnés ici.

1. *Que* introduit une complétive : (4), (7), (8), (10), (11), (12), (22) et (26), avec extension éventuelle au-delà des emplois canoniques : dans des cas où l'on aurait attendu une forme en *à ce que*, après un adjectif (4), ou un verbe (22) ; avec les verbes *laisser, accuser* et *aimer* qui en principe ne l'acceptent pas ; avec le verbe *vouloir* qui ne devrait pas permettre la coréférence des sujets.

2. *Que* introduit une circonstancielle (1), (3), (18), (19), (20), (21), (24), (27), (28), (30), (31), (32), (34). Elles sont de valeurs diverses (c'est pourquoi on parle de « subordination universelle » : causales, finales, oppositives, consécutives, temporelles) ; en face de la variété offerte par le français standard, « la tendance populaire est de remplacer tous ces signes par un instrument unique — le corrélatif générique *que* »[54]. C'est pour cet usage que Guiraud (1965) parle de « conjonction minimum ».

3. *Que* introduit une sorte de coordination vague : (5), (16), (35)[55] redoublant éventuellement une conjonction déjà présente ; ce qui obligera à expliquer comment une conjonction de subordination peut en venir à introduire une coordonnée : les grammairiens s'en tireront avec une « subordination à valeur coordonnante » qui laisse rêveur.

4. *Que* introduit une incise d'énonciation (13) : pas vraiment rare à l'oral, ce type d'exemple est constant dans la reproduction écrite de dialogues.

Avec un peu d'imagination terminologique, on peut poursuivre :

5. Reprise de dialogue : (6), (9), (12) et (15), pour laquelle il y a des contraintes[56] sur le verbe et sur l'élément interrogatif, mais non sur le mode ou sur la forme du segment enchâssé.

6. Introducteur de discours indirect : (26), que l'on peut aussi interpréter comme télescopage de *j'ai plein de choses à vous dire* et *j'ai à vous dire qu'on est pas contents du tout* ; ou comme fruit de la possibilité de faire suivre tout verbe ou nom de dire de paroles rapportées[57].

7. Pour des cas comme (23), Frei a proposé le terme de « séparatif » ; *que* est une sorte d'introducteur de prédicat :

(36) heureusement qu'il a réussi

(37) oui qu'il a bien fait

3. Questions théoriques

Cependant, nous allons ainsi vers des dénominations de plus en plus *ad hoc*, qui ne peuvent dissimuler quelques questions essentielles.

Les cas d'échec de l'analyse sont nombreux, d'abord parce qu'une analyse multiple apparaît souvent comme la moins mauvaise solution. À côté de (12) et (26), pour lesquels nous avons déjà proposé une analyse double, ce peut être le cas de (3), (20), (31) ou (34), analysés comme circonstancielles, pour lesquelles une analyse en relative ou en coordination n'est pas exclue. À ces énoncés peuvent être ajoutés (2), (14), (17), (25) ou (33), pour lesquels aucune interprétation évidente ne se présente. Et peuvent être

54. Frei (1929, p. 154)

55. Emploi qui n'est pas très bien admis par les grammairiens : « L'emploi de l'élément *que* en fonction de simple conjonction de coordination s'est étendu considérablement dans le langage familier ou teinté de vulgarisme » (Sauvageot, 1962, p. 41).

56. Voir Gadet & Mazière (1987).

57. Voir Gadet, Léon & Pêcheux (1984), pour ce qui avait alors été appelé « forçage ».

ajoutés aussi les énoncés pour lesquels on a eu recours à la notion de « télescopage »[58] (8, 11, 14, 26), qui constitue une certaine facilité. Tous ces cas viennent interroger une conception grammaticale pour laquelle, à l'univocité, peut correspondre l'ambiguïté, mais plus difficilement le plurivoque ; « multiplicité d'analyse », « indécidabilité » ou « télescopage », on supposera que le multiple a des effets sur l'interprétation sémantique.

On remarquera d'ailleurs que les critères qui font pencher en faveur d'une analyse sont divers : par exemple, en (24), l'absence de reprise de *soleil* par un clitique peut inviter à une interprétation en relative (standard ou défective), mais la légère pause qui précédait *que* suggère en fait une circonstancielle, conduisant alors à supposer un emploi intransitif de *supporter* (attesté en indépendante).

Ces difficultés d'analyse amènent à poser des questions de théorie grammaticale. Non seulement il est peu satisfaisant de concevoir certains phénomènes comme appartenant à une zone de langue centrale et stable, et d'autres comme marginaux, mais on reste avec d'énormes questions d'analyse et de terminologie grammaticales. On comprend dès lors l'inquiétude procurée aux grammairiens par *que*, qui a pour effet de remettre en cause des certitudes bien ancrées.

Par exemple, si l'on analyse *que* comme pouvant réaliser une coordination, l'alternative est simple : soit que l'on se donne une définition de la coordination qui rende possible qu'elle soit introduite par une conjonction de subordination, soit que l'on ébranle la distinction entre coordination et subordination. Une phrase comme (2) conduit aussi à s'interroger sur la distinction entre phrase autonome et phrase dépendante (ou subordonnée) : quel statut accorder à *que je vais te le redépasser* ?

Il est donc indispensable, pour contribuer à mettre un peu d'ordre, de tenter d'établir les propriétés formelles des différents exemples, en cherchant s'il y a un fonctionnement commun aux différentes *que* + *P* (la phrase introduite par *que*).

4. On peut quand même raisonner

Ces difficultés conduisent à faire reposer une classification sur des manipulations. On se heurte alors au fait que, si les manipulations les plus courantes sont applicables aux phrases en *que* + *P*, c'est ou bien difficilement, ou bien sans profit. Par exemple, ni le déplacement en tête de phrase, ni l'extraposition par *c'est... que...* ne donnent de résultats convaincants : certains cas, comme les consécutives, sont encore plus mauvais que les autres.

Dans cette optique de manipulations, Deulofeu[59] a tenté de montrer qu'on pouvait s'appuyer, du moins pour les constructions verbales, sur le degré de dépendance de *que* + *P* à l'égard du verbe.

Il a donc recours au cadre proposé par le GARS, retenant simplement, à partir de propriétés syntaxiques, une distinction entre constructions régies (38) et constructions associées (parmi lesquelles il distingue associées en une pseudo-corrélation (39), et associées par greffe (40)) :

(38) il dansait qu'on pouvait pas mieux

(39) il me le demanderait que je ne lui dirais pas

58. Le terme est commun désormais. Voir Cadiot (1979), dans cette problématique, mais qui parle de combinaison, amalgame ou mixte, puis de « lectures télescopantes ». Voir aussi Gadet & Mazière (1986) et *infra* p. 137.

59. Deulofeu (1988), dont nous reproduisons en grande partie la démonstration.

(40) je vais voir les enfants qu'ils font beaucoup de bruit

L'analyse de (38) comme rection (ou dépendance unilatérale) s'appuie sur un certain nombre de propriétés, comme par exemple :

— *que* + *P* peut être remplacé par un segment régi :

(38 a) il dansait comme ça

— il n'y a pas de linéarisation possible entre *que* + *P* et un autre élément régi :

(38b) * il dansait merveilleusement qu'on peut pas mieux

— *que* + *P* suit nécessairement un verbe et est exclu après un nom :

(38c) * sa façon de danser qu'on peut pas mieux

ce qui la différencie de la parataxe que serait (38c') :

(38c') sa façon de danser < / on peut pas mieux > (intonation très contrastée)

— la phrase peut être enchâssée dans une autre :

(38d) c'est parce qu'il dansait qu'on peut pas mieux qu'il a été tué

Quant aux pseudo-corrélations, elles manifestent les traits suivants :

— la phrase est incomplète sans *que* + *P* :

(39 a) * il me le demanderait

— *que* + *P* s'appuie toujours sur une construction verbale :

(39b) * une demande que je ne l'accepterais pas

(mais cet énoncé est acceptable en tant que relative résomptive)

— il y a des contraintes sur les temps (par exemple, ici, les deux conditionnels sont liés).

Les greffes, elles, manifestent deux constructions complètement indépendantes, avec deux courbes intonatives distinctes : *que* + *P* apparaît comme une justification de la phrase initiale. Elles ont en outre les propriétés suivantes :

— liberté modale de *que* + *P* :

(40 a) je vais voir les enfants qu'ils fassent pas trop de bruit

— liberté de la forme de la phrase introductrice :

(40b) viens ! qu'ils font beaucoup de bruit

(40c) est-ce que tu peux aller voir ? qu'ils font beaucoup de bruit

Selon ce schéma, et pour celles de nos phrases dans lesquelles *que* suit un verbe, nous pourrions donc proposer :

Constructions régies : 8, 10, 11, 22, 26

Pseudo-corrélations : 29

Greffes : 1, 2, 3, 17, 18, 21, 24, 28, 30, 32

Cependant, comme dans toute analyse en termes de propriétés, on perçoit les limites de la classification que l'on en tire : les décisions n'ont pas toujours été faciles à prendre, et certaines phrases, comme 4 ou 26, ont à la fois des traits de constructions régies et de greffes.

*

* *

Certes, cette analyse ne concerne qu'une partie des phrases en *que*. Mais elle présente l'avantage, en évitant de les marginaliser, d'affronter les questions que les formes non standard viennent, comme bien souvent, poser à la grammaire. De plus, il s'avère que le cadre ainsi posé doit pouvoir s'étendre à d'autres structures : on pense, par exemple, pour les « greffes », à des emplois déplacés de conjonctions de subordination (comme *parce que*) ou à des coordonnants discursifs (comme *tu me diras*) :

(41) tu peux m'en donner un ? / parce que / c'est un truc qui m'intéresse

(42) je l'ai encore perdu / tu me diras / j'avais qu'à m'en occuper la semaine dernière.

CHAPITRE 15

LE DÉTACHEMENT

Nous allons, pour achever ce rapide passage en revue, aborder une dernière série de phénomènes, qui sont à ce point typiques de la langue parlée (dans la mesure où ils sont très liés à leurs conditions d'énonciation *in situ*) qu'ils font figure de véritables stéréotypes de l'oral : tout ce qui, ne répondant pas à l'ordre des mots canonique (SN — V — SN), peut entrer sous la notion de segmentation de la séquence.

Les dénominations que reçoivent ces phénomènes sont multiples, recouvrant des nuances dans lesquelles il n'est pas fondamental d'entrer ici : ordre des mots, détachement, dislocation, thème, thématisation, extraposition, clivage, pseudo-clivage, emphase, focalisation[60]. S'ils sont beaucoup évoqués, ils sont de fait moins fréquemment classifiés et analysés, car souvent simplement renvoyés à la « syntaxe expressive ».

Lorsque l'on parle, on ne fait généralement pas usage d'énoncés répondant à la forme (1), et sans doute encore moins (2) :

(1) Pierre aime Marie

(2) une jeune fille bronze au soleil

Quand la structure des langues le permet, le procédé privilégié pour la mise en premier plan de l'un ou l'autre élément nominal se fait à travers un jeu sur l'ordre des mots. Mais, en français, l'ordre relativement fixe des mots impose de passer essentiellement par d'autres moyens. Le français standard, et spécialement le français écrit, connaît surtout le passif, mais celui-ci est rare en français parlé, qui doit donc procéder autrement.

1. SN repris par un clitique

1.1. Reprise du SN sujet

L'exemple de reprise le plus fréquent concerne le sujet, si bien que cela constitue un stéréotype d'oral ou de parlé familier que de présenter les formes comme *ma mère elle a dit*, généralement condamnées comme « redoublement » ou comme

60. Les travaux sur ce sujet sont assez nombreux, au moins depuis que les préoccupations d'oral sont entrées dans la problématique linguistique, en tous cas à partir des grands classiques que constituent les travaux de Bally (1905 et 1932, sous une problématique d'expressivité), et du sort que leur a réservé Queneau.
Parmi les travaux récents, on citera Deulofeu (1977 et 1979), Barnes (1985), Lambrecht (1988), Fradin (1988 et 1990), Cadiot (1988a et 1992), Morel (1992a et b), Blasco (1997). Voir également l'importance de la thématisation dans un point de vue de cohérence textuelle, exposé chez Laparra (1982) ou Cadiot (1992).

« redondance » ; cette forme est cependant tout sauf nouvelle, cette « faute » étant déjà condamnée par les grammairiens du XVIIe siècle[61].

Le procédé est effectivement tellement répandu, qu'on a pu aller jusqu'à parler[62] d'une tendance à la constitution d'un verbe agglutinatif, formé de la racine verbale et d'un clitique préfixé. Les faits à l'appui de cette hypothèse sont les suivants.

— L'existence de deux formes différentes :

(3) ton papa il boit beaucoup

(4) ton papa / il boit beaucoup

La première ne comporte ni pause ni intonation particulière.

— La liaison, facteur de cohésion phonologique, est obligatoire entre clitique sujet et verbe (*ils arrivent*), et impossible ou très soutenue entre SN et V.

— Le *ne* de négation, seul obstacle à l'agglutination, est très fragilisé.

— Le clitique sujet tend à devenir obligatoire, par exemple dans une coordination : à (5), fréquent à l'écrit, la langue parlée préférera (5') :

(5) je lis et parle très bien l'italien

(5') je lis et je parle très bien l'italien

— Le seul cas où un pronom sujet puisse facilement être omis est le *il* impersonnel, qui n'effectue jamais la reprise d'un nom.

— La relative, avec son pronom synthétique, constitue une exception importante, qui se trouve éliminée dans les relatives résomptives.

— Une tendance à l'élimination des clitiques qui ne sont pas en position préverbale se fait jour : *est-ce que* remplacé par *c'est que* dans une partie des interrogations.

Généralement repris par *il* ou *elle*, le sujet peut également être repris par *ça* (singulier ou pluriel, masculin ou féminin), ou par *ce* avec *être* :

(6) les hommes/ ça sait pas se débrouiller tout seul

(7) les hommes/ c'est bête

Il nous faut donc examiner attentivement l'hypothèse selon laquelle les sujets de forme SN tendent à être remplacés à l'oral par les formes SN + Pro (*mon père a dit* versus *mon père il a dit*).

Un article de Blanche-Benveniste (1994) montre que c'est là une analyse trop rapide. Il est vrai que l'on rencontre beaucoup moins de sujets nominaux à l'oral (selon ses observations, entre 2 et 8 fois moins, selon les types de corpus), mais l'interprétation de cette rareté ne réside pas dans un hypothétique changement typologique : l'explication par la forme SN + Pro est davantage un stéréotype sur l'oral qu'une explication.

L'analyse des groupes sujets dans des corpus de différents types montre en effet les tendances suivantes :

— le nombre des sujets nominaux est effectivement faible ;

— tous corpus oraux confondus, on ne rencontre pas plus de 10 % de sujets disloqués (certains corpus peuvent aller jusqu'à 15 ou 16 %, jamais au-delà). L'hypothèse du changement typologique est donc fausse ou prématurée : il n'y a pas purement et simplement transfert vers la dislocation ;

— il est vrai qu'on ne rencontre pas beaucoup de sujets disloqués à l'écrit. Il reste cependant à mesurer quel est, dans cette absence, le poids que l'on pourrait dire rhéto-

---

61. Pour des attestations fort anciennes de cette forme, voir Valli (1983) ; pour le fonctionnement en français actuel, voir Jeanjean (1985). Et pour des discussions des enjeux théoriques, voir Bennett (1980), Lambrecht (1981 et 1988), Bailard (1982) et Harris (1978 et 1988).

62. Voir en particulier Lambrecht (1981), Bossong (1981) et Harris (1978).

rique de respect des consignes traditionnelles de rédaction (qui banissent la dislocation, considérée comme une « redondance »).

Quel est donc le principe explicatif de la rareté des SN pleins à l'oral ? Le transfert intervient, à peu près à égalité, au profit de quatre types de formes :

— les pronoms seuls (clitiques ou non) : ils sont beaucoup plus nombreux à l'oral ;

— les formes en *c'est* ;

— les tournures impersonnelles et indéfinies (*il faut*) ;

— les dislocations, qui existent bien, et depuis fort longtemps, comme l'atteste le journal du docteur Héroard, précepteur du petit roi Louis XIII (vers 1600) qui, en reproduisant des phrases prononcées par le jeune Dauphin, montre que celui-ci, enfant, en faisait usage et se faisait corriger et réprimander par les adultes, comme n'importe quel petit Français du XXe siècle (Prüssmann-Zemper, 1986) :

(8) mon frère il a dit

On vérifie donc ici encore une fois qu'une forte saillance pour les locuteurs ne correspond pas nécessairement à un phénomène massif.

1.2. Reprise de SN autres que sujets

La reprise par un clitique se trouve également dans les autres fonctions du nom, à condition qu'existe un clitique permettant d'exprimer la fonction du SN : *le, la, les, lui, leur, y, en*. On en a un exemple dans :

(9) tu comprends / Jacqueline / sa mère / la bonne / elle la lui refile[63]

Qui *refile* qui à qui ? Les trois noms étant féminins, trois interprétations sont en principe possibles. Il est probable que, plutôt qu'une stratégie syntaxique, c'est la connaissance de la situation qui dicte l'interprétation *in situ*.

Ce procédé permet en principe une liberté totale de l'ordre des SN, libérés par la grammaticalisation des pronoms. Les SN peuvent donc aussi bien se trouver avant qu'après le groupe verbal :

(10) Michèle / sa sœur / eh ben le copain de sa sœur / il est bassiste dans un groupe rock (ex. de Kerleroux)

(11) finalement / il l'a eu / son bac / Thomas ?

(11 a) finalement / Thomas / il l'a eu / son bac ?

(11b) finalement / son bac / il l'a eu / Thomas ?

Les contraintes ne sont cependant pas les mêmes en tête et en fin de séquence, comme le montrent les formes des déterminants et des reprises dans :

(12) les aristocrates, on leur coupera le cou (ex. de Cadiot)

(13) aux aristocrates, on leur coupera le cou

(12') ? on leur coupera le cou, les aristocrates

(13') on leur coupera le cou, aux aristocrates

En (12') et (13'), le fait que la structure de phrase soit déjà donnée impose de s'y intégrer.

63. Ce sont des exemples de ce type que Queneau a épinglés dans « Connaissez-vous le chinook ? » (1950-1965), en rendant hommage à Vendryès pour ses exemples comme : *il l'a-t-i jamais attrapé, le gendarme, son voleur ?*

2. Les structures à présentatif

À côté des structures jouant seulement sur l'ordre des mots et la reprise par un clitique, de nombreuses structures mettent en jeu des présentatifs, aux formes assez variées :

(14) c'est Shell que j'aime
(15) y a une fille dans mon école / sa sœur / elle est complètement dépressive
(16) y a Pierre qu'a pas vu son père depuis cinq ans
(17) y a que Pierre a pas vu son père depuis cinq ans
(18) voilà (voici) Pierre qui part[64]
(19) voilà trois ans qu'il dort
(20) en voilà une belle / d'histoire
(21) ce qui me plaît / c'est le cinéma
(22) une question que je me pose / c'est ce qu'il fait là-bas
(23) ce que je veux dire / c'est qu'on peut plus s'en tenir là
(24) j'ai un manque de papier
(25) j'ai mon père que j'ai pas vu depuis cinq ans
(26) vu que tu l'as qu'est pas grosse (écrit, bandes dessinées)
(27) ça fait trois bus que je rate (ex. de Blanche-Benveniste)
(28) tu as le bidule qui doit venir se placer sous le crochet
(29) encore une tarte de vendue
(30) ma sœur, y a son fourneau, quand on veut allumer, tu as rien à faire, y a un truc prévu pour (ex. de Culioli)

Les structures à présentatif (au sens large) mettent souvent en jeu des éléments introduits par *qui* ou *que*, en des schémas qui ne sont pas sans rapports avec les relatives. Le *qui* ou le *que* sont en principe obligatoires dans ces séquences, mais on rencontre de nombreux cas où ils sont omis :

(31) ça fait dix-huit ans j'habite ici / quand même

La combinaison de ce deuxième procédé avec celui de la reprise clitique peut donner lieu à des structures assez complexes, comme :

(32) moi ce que j'aime c'est la robe d'aujourd'hui qu'elle me plaise encore dans dix ans

3. Les « constructions binaires »

Un certain nombre de structures, données comme très relâchées, ne mettent en jeu ni l'un ni l'autre de ces deux procédés[65]. En voici quelques exemples :

(33) bon / tes noyaux / va te faire foutre
(34) les maths en terminale / y a intérêt à s'accrocher
(35) la cantine / on a pas à se plaindre
(33') *va te faire foutre / tes noyaux
(34') *y a intérêt à s'accrocher / les maths en terminale

64. Voir Chevalier (1969b).
65. Peu étudiées par les grammairiens, qui ne les prennent guère en considération. Voir cependant Deulofeu (1977).

(35') *on a pas à se plaindre / la cantine

(33'), (34') et (35') montrent que l'élément nominal antéposé ne peut pas être aussi facilement déplacé que quand il y a reprise clitique : il ne s'agit donc pas de la même chose, avec omission de la reprise. Deulofeu (1977) qualifie ces formes d'« effet de construit sans intervention de la syntaxe », car elles ne manifestent pas d'autre organisation interne que celle que lui confèrent les positions des termes et l'intonation. Sur le plan du sens, on a le même effet de rapport vague que dans les défectives.

Le cas le plus général comporte un premier membre nominal, avec intonation montante, suivi d'un second membre à intonation descendante, dont la nature peut être très variée, du très simple (36) où le *bof* peut même se réduire jusqu'à un geste (par exemple un bras d'honneur), au plus complexe (37) :

(36) les épinards < / bof >

(37) Georges avec les enfants à Paris porte d'Orléans dans les embouteillages pour aller chez eux les enfants sont malades tellement ils mettent du temps (ex. de Deulofeu)

*
**

La fréquence de ces structures mériterait une exploration systématique des conditions de leur apparition : sont-elles par exemple plus liées à des contraintes syntaxiques (comme la nature des SN et de leurs déterminants), ou à des contraintes énonciatives ?

Conclusion de la troisième partie

Les différents faits que nous avons étudiés conduisent à affirmer que ce qui varie dans le champ de la grammaire, sans être limité aux phénomènes habituellement répertoriés comme variables, ne saurait être traité dans les termes de la « variation ». Reste à établir comment prendre en compte la non-homogénéité…

Le déroulement de la parole comporte une marge d'imprécision, de flou, de non-spécifié, de divers dont le locuteur accepte que cela fasse partie des conditions de l'échange. Flou sur le référent (sens lexical imprécis ou non partagé, *ça*), flou sur la nature d'une relation (relative défective, conjonction *que*, constructions binaires, préposition *pour*…), phrases inachevées… Quand quelque chose n'est pas précisé ou manque totalement, les protagonistes de l'échange complètent de façon à faire du sens, chacun à sa manière. « La communication n'est qu'un cas particulier du malentendu », a pu dire Culioli.

Parmi les éléments de ce flou, qui n'est cependant pas n'importe quoi, il y a une certaine absence d'exigence sur les structures grammaticales, une tolérance perceptive dont nous évoquerons deux formes : le « télescopage » et l'intervention d'éléments saturants.

Le « télescopage » désigne un certain aléa que l'on pourrait, dans un premier temps, analyser comme rencontre de deux constructions. En voici quelques exemples :

(1) c'est une chose à laquelle on s'habitue très vite à repérer (*à laquelle on s'habitue* et *qu'on s'habitue à repérer*)

(2) si tu penses que je te crois que t'es resté jusqu'à la fin (*je te crois* et *je crois que t'es resté*)

(3) une phrase qui se veut être soutenue (écrit : *qui se veut soutenue* et *qui veut être soutenue*)

(4) ne laisse pas que Dolly le mange (*ne le laisse pas* et *ne laisse pas D. le manger*)

(5) ta mère / i peut pas t'en occuper (ex. de Auvigne et Monté) (*s'en occuper* et *s'occuper de toi*)

(6) tu as besoin de rien que je monte ? (*besoin de rien, besoin que je monte quelque chose* et *quelque chose que je monte*)

(7) je prévoyais partir (*pensais partir* et *prévoyais de partir*)

(8) je vais lui dire de LUI[66] refaire la lecture (*refaire la lecture* et *qu'il refasse la lecture*)

(9) je me suis senti que je devenais tout sale (Giono) (*je me suis senti devenir* et *j'ai senti que je devenais*)

(10) y a personne d'autre qu'elle que tu pourrais téléphoner ? (*à qui tu pourrais téléphoner* et *que tu pourrais appeler*)

(11) la manière dont un peuple a de s'exprimer (*dont un peuple s'exprime* et *qu'un peuple a de s'exprimer*)

(12) tout dépend de ce qu'on dispose comme budget (*ce dont on dispose* et *ce qu'on a*)

Les paraphrases proposées n'ont d'autre statut que celui d'attester que seule la combinaison est inhabituelle, non les éléments constitutifs (ce qui invite à une comparaison avec l'analogie).

La fréquence, dans la conversation, de rencontres (« téléscopages ») de constructions est une latitude de langue qui n'a pas échappé aux grammairiens. Des exemples en sont en effet évoqués sous les noms de « recoupement » chez Wartburg et Zumthor, « contamination » chez Nyrop[67] et Sauvageot, « croisement » chez Cohen... On attribuera à ce phénomène les traits suivants :

— le composé est par excellence instable, pas spécifiquement reproductible ;

— il ne s'agit pas d'un énoncé inachevé ; cependant, les cas ne sont pas tous les mêmes, et on pourrait faire un premier tri syntaxique selon qu'il y a excès (une même place syntaxique occupée deux fois, comme en (1), (2), (3) ou (5)), ou déplacement de la formule de construction verbale, comme en (4), (7), (8), (9), (10) ou (12) ; restent (6) et (11), à reprendre dans le cadre des relatives qu'elles mettent en jeu ;

— le produit n'attire généralement pas l'attention de l'interlocuteur, qui l'admet fort bien ; ce qui n'est pas très informatif, car on sait qu'il faut une forte accumulation de facteurs pour provoquer un rejet métalinguistique ;

— sur le plan formel, il y a un segment commun aux deux constructions[68] ;

— sur le plan sémantique, ce produit complexe cumule, sur un seul segment, les significations des segments-sources, ce qui va de la nuance à la composition sémantique.

66. Nous utilisons ici les capitales pour indiquer que le mot a été fortement accentué (cf. p. 50).

67. Avec la définition suivante : « Phrases dont la construction syntaxique offre des particularités qui ne s'expliquent que comme le résultat d'un croisement. »

68. De ce point de vue, et *modulo* les différences entre morphologie et syntaxe, le télescopage serait à comparer au mot-valise. Pour des restrictions, voir cependant Grésillon (1984).

L'identification de tels fonctionnements discursifs ne doit cependant constituer qu'un préliminaire à une « exploration systématique des structures »[69], qui dirait les conditions auxquelles ces rencontres sont possibles. Or, le terme « télescopage » ne fait qu'attribuer une étiquette, aussi peu explicative que celle de « relative » par exemple, et avec l'effet similaire d'assigner la variation à des zones.

Si nous revenons à l'exemple (6), c'est une facilité que de le traiter comme un télescopage, car, en tant que relative, il a des propriétés reconnaissables : *rien* peut facilement être relativisé (6a ou 6b), et *avoir besoin*, expression verbale indirecte, est souvent construit de façon directe (ex. 22) :

(6a) il n'y a rien qui me fasse envie

(6b) il n'y a rien que tu remarques ?

À côté de ces énoncés « pleins » ou trop pleins, il en est d'autres dans lesquels un élément vient saturer : ainsi Cadiot (1979a) a-t-il souligné le rôle joué par *pour*, dans des exemples comme (13), rencontre de (13') et (13'') :

(13) on m'a demandé pour venir travailler à l'usine

(13') on m'a demandé de venir (on *lui* a demandé)

(13'') on m'a demandé pour travailler à l'usine (on *l'*a demandé)

C'est parce que *pour* n'a guère de sens en lui-même qu'il peut jouer ce rôle de « saturateur », installant une sorte de flou qui rend la structure apparemment satisfaisante. On fera l'hypothèse que, au niveau des enchaînements d'énoncés, *que* peut jouer un rôle similaire :

(14) elle a eu une crise qu'elle acceptait mal son corps

(15) je te le mettrai sous enveloppe / ou que je te le porte chez toi

(16) j'avais des problèmes avec mon sifflet que la bille se coïnçait

Parmi les analyses classiquement données pour ces phrases (si du moins elles retiennent l'attention du grammairien), il y a la « rupture » (séquence cassée qui repartirait sur une nouvelle structure) et l'ellipse (par exemple, *que*, ellipse de *je dis que*... ou *c'est vrai que*...). Pourtant, ces hypothèses n'expliquent rien et restent prises dans une conception de langue où chaque forme se voit assigner une structure ou des structures fixes.

Il nous semble plus intéressant d'envisager qu'elles soient le produit d'un faisceau d'analyses. Ainsi, la phrase (16) passe bien ; on peut l'analyser comme une relative défective, mais son acceptabilité est surdéterminée par d'autres analyses qui ne sont pas exclues : complétive (*problèmes que*...), coordination ou subordination vague (*car, parce que*). C'est la copossibilité de ces différentes analyses qui donne sa bonne acceptabilité et son sens à cette phrase.

La présence d'un *que* peut mettre de l'huile dans les rouages d'un énoncé, ce que montre un exemple comme (17), pour lequel aucune analyse possible n'est très bonne, mais qui ne déclenche aucune réticence, participant du « tissage discursif » entre les interlocuteurs :

(17) — Bernard m'a dit de t'apporter ça

— ah oui / que j'en avais besoin

Le corpus, bien que recueilli sans idée préconçue (ce qui n'exclut pas qu'une écoute sélective ait pu fonctionner à mon insu), se révèle assez monotone, avec une forte proportion de déplacements dans les constructions verbales (tous les exemples de (1) à (12)). Il n'est d'ailleurs pas surprenant de voir les constructions verbales, siège privilégié de complexité, permettre ainsi ces rencontres de structures.

69. L'expression est de Delaveau et Kerleroux (1984).

Ces déplacements se ramènent à quelques types : passage d'un complément direct à un complément indirect, ou le contraire, verbe qui devrait être suivi d'une infinitive construit avec une complétive… Ils ne sont pas sans évoquer le flottement sur la distinction transitif / intransitif, dont on trouve de nombreux exemples (par exemple dans la publicité), comme :

(18) ils voyageaient la France

(19) rowentez-vous la vie (de la marque Rowenta)

On touche ici à un pilier de la sous-catégorisation verbale : la distinction transitif / intransitif. Que cette distinction soit fragilisée, c'est ce qu'on voit aussi avec l'usage direct d'un verbe transitif indirect (comme en (20)), avec la formation de questions ou de clivages directs avec des expressions indirectes (comme en (21) ou (22)), avec des sortes de reprises-corrections (comme (23)) ; c'est aussi l'une des interprétations possibles de la relative défective (24) :

(20) quand on pense tout ce qu'on a fait !

(21) c'est la seule chose que je n'aie pas tenu compte

(22) ce qu'il a vraiment besoin / c'est une bonne fessée

(23) j'ai jamais oublié mon angoisse que j'ai passé / j'oublierai jamais ce moment

(24) elle me coûte cher ma salle de bain / que je me sers pas d'ailleurs

Il faut avant tout savoir si, dans les phrases de (20) à (24), le déplacement est lié à une structure syntaxique ou à une structuration lexicale. Ce que l'on peut explorer en manipulant les structures :

(20a) on pense tout ce qu'on a fait

(20b) on le pense

(21a)* je n'ai pas tenu compte la chose

(21b)* je l'ai tenu compte

(22a)* il a besoin une fessée

(22b)* il l'a besoin

(22c) qu'est-ce qu'il a besoin ?

(23a) ? j'ai passé mon angoisse

(23b) je l'ai passée

(24a)* je me sers pas ma salle de bain

(24b)* je me la sers pas

(24c) ? qu'est-ce que je me sers pas ?

En (20a et b) et (23a et b), le sens change radicalement. Dans les autres cas, la structure simple ou la pronominalisation ne semblent vraiment pas acceptables. L'acceptabilité des interrogations est plus variable.

On conçoit de ce fait que ces phrases ne nous produisent pas l'effet de « recherche d'un effet de sens » que l'on a dans (18) et (19). C'est, à l'heure actuelle du moins, la structure qui rend possible le flottement dans la sous-catégorisation : on ne peut pas ici parler de modification de la répartition des unités lexicales.

On aurait donc deux cas différents :

— des structures qui favorisent le flou dans les sous-catégorisations (les dislocations, la relative, l'interrogation) ;

— des éléments lexicaux à construction en train de devenir variable, qui ne font que rendre perméable la répartition des unités lexicales correspondant à un type grammatical.

Mais, dans les deux cas, la distance possible entre les deux constructions reste minime, gouvernée par le cadre syntaxique, et le décalage n'est pas relevé (pas perçu ?) par l'interlocuteur.

Les déplacements de construction, toujours possibles si les circonstances énonciatives le permettent, sont favorisés par le « filet serré », pour reprendre les termes de Saussure, que tissent des formes autour d'une forme. Question de forme ? de sens ? de conditions énonciatives ? de savoir extra-linguistique ? Il n'y aurait alors pas de formule de construction fixe propre à un terme lexical, mais la possibilité de jeu selon une « distance syntaxique » limitée, variant en fonction des catégories et des conditions énonciatives.

Ce jeu et cette distance se produisent dans un cadre qui n'est pas celui de la phrase : ceci n'est pas une surprise, dans la mesure où la phrase n'est définissable qu'à l'écrit. Les conditions spécifiques de l'oral, faisant appel à une mémoire plus immédiate, excluant la correction, ne s'appuient pas sur un déploiement aussi large, et se satisfont de tronçons plus brefs, dont la juxtaposition nécessite un ajustement qui peut laisser place à du flou, une sorte d'espace réglé de flottement et d'hétérogène.

CONCLUSION GÉNÉRALE

Nous avons voulu placer cette étude sur le plan linguistique. Aussi notre conclusion partira-t-elle encore du plan linguistique.

L'essentiel de ce que met en lumière une étude de l'hétérogénéité fondamentale, si elle est conduite du point de vue de la langue, nous semble le décalage entre niveaux linguistiques : phonologie et morphosyntaxe constituent des pôles tendanciellement opposés. Une problématique sociolinguistique offre un cadre satisfaisant pour traiter de la variation en phonologie, mais elle est à la fois insuffisante et inadéquate pour saisir le jeu syntaxique.

Nous concevons la langue comme une variation réglée : elle fait système malgré l'hétérogénéité. Ce cadre nous a permis de suggérer une cause au fait que les deux domaines ne peuvent être traités dans les mêmes termes : phonologie et syntaxe ne mettent en cause de la même manière ni le rapport au sens, ni le rapport à l'énonciation. Les différences sont donc plus fondamentales que ne le suggère la distinction linguistique des niveaux, car la syntaxe ne peut être traitée en termes binaires (présence / absence, ou valeur a / valeur non a) et la phonologie ne comporte pas d'enjeux discursifs. Mais cela épuise-t-il la différence ?

Ce décalage n'est pas sans rappeler ce que l'on constate lors de l'observation du processus par lequel un locuteur tend à catégoriser l'usage linguistique d'un autre locuteur de sa communauté : c'est la phonologie (segmental et suprasegmental) qui recèle les indices les plus forts. Lexique, syntaxe et discours jouent certes un rôle, mais limité, moins immédiat et moins sûr.

C'est donc le niveau le plus proche du corporel qui est décisif dans l'identification, les niveaux plus symboliques y prenant une part restreinte. Aussi comprend-on que des jugements d'un ordre physique soient émis sur le phonologique : « vulgaire », « relâché »[1] ... Mais, quand ces jugements sont appliqués à la syntaxe, ils ne constituent qu'une projection idéologique de ce qu'il y a de substantiel dans le phonologique, et seule l'homologie postulée des niveaux peut autoriser un tel glissement.

On est alors tenté de faire retour sur l'hypothèse constitutive de la sociolinguistique, mise en rapport du linguistique et du social. Les deux champs y sont-ils en jeu à

1. On est un peu surpris de rencontrer de tels jugements chez Guiraud (1965), qui parle de « style articulatoire » pour caractériser la phonologie. Certains jugements manifestent un véritable racisme de classe (« accent en pantoufle, veule et avachi », ou « l'accent voyou est celui du mec qui crache ses mots du coin de la bouche, entre le mégot et la commissure des lèvres », p. 111).
Pour caractériser la syntaxe, les métaphores évoqueront plutôt des processus intellectuels, comme la simplicité / complexité. Voir Kroch (1978).

égalité ? Contrairement à la pensée du XIXe siècle, pour laquelle le sujet humain est parlant parce que social, l'un des apports de celle du XXe siècle qui, qu'on le veuille ou non, a intégré le structuralisme, montre que le langage a un rôle plus décisif dans la constitution de l'être humain que le social. Ainsi que l'écrit Lévi-Strauss, dans un texte qui a pu être considéré comme l'un des actes fondateurs du structuralisme non linguistique, ce n'est pas le social qui constitue le symbolique, mais le symbolique qui constitue le social[2].

---

2. Voir « Introduction à l'œuvre de Marcel Mauss », *in* Mauss, *Sociologie et anthropologie*, PUF, 1950 : « Mauss croit possible d'élaborer une théorie sociologique du symbolisme, alors qu'il faut évidemment chercher une origine symbolique de la société. » D'une autre façon, on doit aussi penser à la psychanalyse.

BIBLIOGRAPHIE

AL B., 1975, *La notion de grammaticalité en grammaire générative transformationnelle (Étude générale et application à la syntaxe de l'interrogation directe en français parlé)*, Presses universitaires de Leyde.

ALLAIRE S., 1973, *La subordination dans le français parlé devant les micros de la radiodiffusion*, Paris, Klincksieck.

AMBROSE J., 1996, *Bibliographie des études sur le français parlé*, Paris, Didier-Érudition-INALF.

ANTOINE G. & MARTIN R. (dir), 1995, *Histoire de la langue française 1914-1945*, Paris, CNRS Éditions.

ARRIVÉ M., GADET F. & GALMICHE M., 1985, *La grammaire d'aujourd'hui*, Paris, Flammarion.

ASHBY W., 1976, « The Loss of the Negative Morpheme *ne* in Parisian French », *Lingua*, n° 39,
1981, « The Loss of the Negative Particle *ne* in French, a Syntactic Change in Progress », *Language*, n° 57,
1982, « The Drift of French Syntax », *Lingua*, n° 57.

AUVIGNE M.-A. & MONTÉ M., 1982, « Recherches sur la syntaxe en milieu sous-prolétaire », *Langage et société*, n° 19.

AYRES-BENNETT W., 1994, « Negative Evidence : or Another Look at the Non-use of Negative *ne* in Seventeenth-Century French, *French Studies*, XLVIII-1, pp. 63-85.

BAILARD J., 1982, « Le français de demain : VSO ou VOS », in A. Ahlqvist ed., *Papers from the 5th International Conference on Historical Linguistics*, Amsterdam, John Benjamins Publishing Company.

BALIBAR R. & LAPORTE D., 1974, *Le français national*, Paris, Hachette.

BALLY Ch., 1905, *Traité de stylistique française, 1 : « La langue parlée et l'expression familière »*, Paris, Klincksieck.

1930, *La crise du français. Notre langue maternelle à l'école*, Neuchâtel, Delachaux & Niestlé.

1932, *Linguistique générale et linguistique française*, Bern, Francke.

BARBARIE Y., 1982, « Analyse sociolinguistique de la syntaxe de l'interrogation en français québécois », *Revue québécoise de linguistique*, n° 12.

BARNES B., 1985, *The Pragmatics of Left Detachment in Spoken Standard French*, Amsterdam, Benjamins.

BARTHES R., 1981, *Le grain de la voix*, Paris, Le Seuil.

BAUCHE H., 1920, *Le langage populaire*, Paris, Payot.

BEAUJOT J-P., 1982, « Les statues de neige ou contribution au portrait du parfait petit défenseur de la langue française », *Langue française*, n° 54, pp. 40-55.

BÉDARD E. & MAURAIS J., 1983, *La norme linguistique*, Québec et Paris, Conseil de la Langue Française et Le Robert.

BEHNSTED P., 1973, *Viens-tu, est-ce que tu viens, tu viens ? Formen und Strukturen des direkten Fragesatzes im Französischen*, Tübingen, Narr.

BELL A., 1984, « Language Style as Audience Design », *Language in Society*, n° 13, pp. 145-204.

BENNETT W.A., 1980, « *Langage Populaire* and Language Drift », *Neophilologus*, vol. LXIV n° 3, pp. 321-332.

BERNSTEIN B., 1971-1975, *Class, Codes and Control*, trad. fr. 1977, *Langage et classes sociales*, Paris, Éd. de Minuit.

BERRENDONNER A., 1982, *L'éternel grammairien*, Berne, Peter Lang,
1988, « Normes et variations", *in* Schoeni G., Bronckart J-P., & Perrenoud P. (dir.), *La langue française est-elle gouvernable ?*, Neuchatel-Paris, Delachaux & Niestlé, pp. 43-62.

BERRUTO G., 1983, « L'italiano popolare e la semplificazione linguistica », *Vox Romanica*, 42, pp. 38-79,
1993, « Varietà diamesiche, diastratiche, diafasiche », *in Introduzione all'italiano contemporaneo*, a cura di Sobrero A., Bari, Laterza.

BESSE H., 1976, « La norme, les registres et l'apprentissage », *Le français dans le monde*, n° 121.

BILGER M., 1988a, « Regionalismos sintacticos y francès hablado usual », *Actes du VIe Congrès national de l'Association espagnole de linguistique appliquée*, Santander.
1988b, « Les réalisations en *et tout* à l'oral », *Recherches sur le français parlé*, n° 9.

BLANCHE-BENVENISTE C., 1980, « Divers types de relatives en français parlé : morphologie », *T. A. Informations*, n° 2,
1981, « La complémentation verbale : valence, rection et associés », *Recherches sur le français parlé*, n° 3,
1982, « Examen de la notion de subordination », *Recherches sur le français parlé*, n° 4,
1983, « L'importance du français parlé pour l'étude du français tout court », *Recherches sur le français parlé*, n° 5,
1984, « La dénomination dans le français parlé : une interprétation pour les "répétitions" et les "hésitations" », *Recherches sur le français parlé*, n° 6,
1987, « Syntaxe, choix de lexique et lieux de bafouillage », *DRLAV*, n° 36-37,
1988, « La notion de contexte dans l'analyse syntaxique des productions orales : exemples des verbes actifs et passifs », *Recherches sur le français parlé*, n° 8,
1993a, « Une description linguistique du français parlé », *Le gré des langues*, n° 5, pp. 8-29,
1993b, « Les unités : langue écrite, langue orale », *in Proceedings in the Workshop on ORALITY versus LITERACY : Concepts, Methods and Data*, Strasbourg, European Science Foundation,
1994, « Quelques caractéristiques grammaticales des "sujets" employés dans le français parlé des conversations », *in Actes du Colloque Subjecthood and Subjectivity*, Paris & Londres, Ophrys & Institut français du Royaume-Uni, pp. 77-107,
1995, « Quelques faits de syntaxe », *in* Antoine & Martin (dir).

BLANCHE-BENVENISTE C., coll. *et al.*, 1990, *Le français parlé. Études grammaticales*, Paris, Éditions du CNRS,
1982, « Des grilles pour le français parlé », *Recherches sur le français parlé*, n° 2,

BLANCHE-BENVENISTE C., DEULOFEU J., STEFANINI J. & VAN DEN EYNDE K., 1984, *Pronom et syntaxe. L'approche pronominale et son application au français*, Paris, SELAF.

BLANCHE-BENVENISTE C. & JEANJEAN C., 1987, *Le français parlé*, Paris, CNRS-INALF, Didier-Érudition.

BLASCO M., 1997, « Pour une approche syntaxique des dislocations », *Journal of French Language Studies*, 7-1, pp. 1-21.

BLOOMFIELD L., 1927, « Literate and Illiterate Speech », reproduit *in* Hymes ed, 1964, *Languages in Culture and Society : a Reader in Linguistics and Anthropology*, New York, Harper and Row, pp. 391-396.

BORRELL A. & BILLIERES M., 1989, « L'évolution de la norme phonétique en français contemporain », *La linguistique*, n° 25-2, pp. 45-62.

BOSSONG G., 1981, « Séquence et visée ; l'expression positionnelle du thème et du rhème en français parlé », *Folia linguistica*, XV-3/4.

BOURDIEU P., 1982, *Ce que parler veut dire*, Paris, Fayard,
1991, « L'ordre des choses », *Actes de la recherche en sciences sociales*, n° 90.

BOUTET J., 1987, « La diversité sociale du français », *in* Vermès & Boutet (dir.).
1988, « La concurrence de *on* et *i* en français parlé », *LINX*, n° 18.

BRANCA S., 1977, « Présentation », *Recherches sur le français parlé*, n° 1.

BRUN A., 1931, *Le français de Marseille*, Marseille, Institut historique de Provence.

BRUNOT F., 1905-1953, *Histoire de la langue française des origines à nos jours*, Paris, Armand Colin.

CADIOT P., 1976, « Relatives et infinitives "déictiques" en français », *DRLAV*, n° 13,
1979a, « Saturation grammaticale et saturation discursive », *DRLAV*, n° 21,
1979b, « À propos de la structuration des énoncés dans leur contexte », *Langage et société*, n° 7,
1980, « Ordre des mots et interlocution », *in* Gardin B. & Marcellesi J.-B. (dir.).
1987, « Les mélanges de langue », *in* Vermès J. & Boutet G. (dir.).
1988a, « Le thème comme synecdoque », *Langue française*, n° 78,
1988b, « De quoi *ça* parle ? À propos de la référence de *ça*, pronom-sujet », *Français moderne*, n° 56, 3/4.
1992, « Matching Syntax and Pragmatics : a Typology of Topic and Topic-related Constructions in Spoken French », *Linguistics*, n° 30, pp. 57-88.

CANNINGS P., 1978, « Interlocking Binding and Relativisation Strategies », *Studies in French Linguistics*, vol. I, n° 1.

CARTON F., 1974, *Introduction à la phonétique du français*, Paris, Bordas,
1987, « Les accents régionaux », *in* Vermès G. & Boutet J. (dir.).
1995, « La prononciation du français », *in* Antoine G. & Martin R. (dir).

CARTON F., ROSSI M., AUTESSERRE D., & LÉON P., 1983, *Les accents des Français*, Paris, Hachette.

CELLARD J., 1979, *La vie du langage*, Paris, Le Robert.

CHAUDENSON R., 1993, « Francophonie, "français zéro" et français régional », *in* Robillard & Beniamino (dir), pp.385-405.

CHAUDENSON R., MOUGEON R. & BENIAK E., 1993, *Vers une approche panlectale de la variation du français*, Paris, Didier-Érudition.

CHAURAND J., 1974, *Introduction à la dialectologie française*, Paris, Bordas.

CHEVALIER J-C., 1968, « Quelle grammaire enseigner ? », *Le français dans le monde*, n° 55, pp. 21-25,
1969a, « Registres et niveaux de langue : les problèmes posés par l'enseignement des structures interrogatives », *Le français dans le monde*, n° 65, pp. 35-41,
1969b, « Exercices portant sur le fonctionnement des présentatifs », *Langue française*, n° 1, pp. 82-92.

CLERMONT J. & CEDERGREN H., 1979, « Les R de ma mère sont perdus dans l'air », *in* Thibault P. (dir.).

COHEN M., 1967, *Histoire d'une langue : le français*, Paris, Éditions sociales,
Regards sur la langue française, Paris, Éditions sociales.

CONEIN B., 1987, « De l'interprétation de la conversation dans la conversation », *Lexique*, n° 5.

CORBEIL J-C., 1984, « Problèmes théoriques posés par la notion de "français régional" », *in Mélanges offerts à Willy Bal*, vol. 3, Université de Louvain-la-Neuve.

CORBIN P., 1980, « "Niveaux de langue" : pèlerinage chez un archétype », *Bulletin du Centre d'analyse du discours*, n° 4, pp. 325-353.

CORNULIER B. de, 1981, « H aspirée et la syllabation », D. Goyvaerts ed., *Phonology in eighty's*, Gand, Story-scientia.

COSTE D., 1969, « Les procédés d'interrogation directe », *Études à partir des conversations d'enfants de neuf ans*, Paris, CREDIF,
1986a, « Auto-interruptions et reprises », *DRLAV*, n° 34-35,
1986b, « S'interrompre et se reprendre ; hésitations, reprises, réparations dans le discours des témoins », *Cahiers du français des années 80*, n° 2.

COVENEY A., 1996, *Variability in Spoken French. A Sociolinguistic Study of Interrogation and Negation*, Exeter, Elm Bank Publications.

CULIOLI A., 1983, « Pourquoi le français parlé est-il si peu étudié ? », *Recherches sur le français parlé*, n° 5.

DAMOURETTE J. & PICHON E., 1911-1930, *Des mots à la pensée, essai de grammaire de la langue française*, Paris, D'Artrey.

DELATTRE P., 1966, *Studies in French and Comparative Phonetics*, La Haye, Mouton.

DELAVEAU A. & KERLEROUX F., 1984, « La constance de la raison linguistique », *DRLAV*, n° 31.

DELL F., 1973, *Les règles et les sons*, Paris, Hermann,
1986, « Deux nasalisations en français », *Actes du séminaire lexique et traitement automatique des langages*, Université P. Sabatier de Toulouse.

DELOMIER D. & MOREL M.-A., 1986, « Caractéristiques intonatives et syntaxiques des incises », *DRLAV*, n° 34-35.

DÉSIRAT C. & HORDÉ T., 1976, *La langue française au XX*e siècle, Paris, Bordas.

DEULOFEU J., 1977, « La syntaxe et les constructions binaires », *Recherches sur le français parlé*, n° 1,
1979, « Les énoncés à constituant lexical détaché », *Recherches sur le français parlé*, n° 2, pp. 75-109,
1980, « Vers une description syntaxique en français parlé des séquences élément nominal ou pronominal + particule *que* + construction verbale », *T. A. Informations*, n° 2,
1981, « Perspective linguistique et sociolinguistique dans l'étude des relatives en français », *Recherches sur le français parlé*, n° 3,
1983, « L'étude des langues parlées et la typologie des langues », *Recherches sur le français parlé*, n° 5,
1986, « Syntaxe de *que* en français parlé et le problème de la subordination », *Recherches sur le français parlé*, n° 8, pp. 79-104,

DEYHIME G., 1967, « Enquête sur la phonologie du français contemporain », *La Linguistique*, n° 1.

ENCREVÉ P., 1976, « Labov, linguistique, sociolinguistique », préface à l'édition française de Labov 1972,
1983, « La liaison sans enchaînement », *Actes de la recherche en sciences sociales*, n° 46,
1988, *La liaison avec et sans enchaînement*, Paris, Le Seuil.

FERGUSON C., 1971, « Absence of Copula and the Notion of Simplicity », *Pidginization and Creolization of Languages*, Hymes ed., Cambridge University Press.

FISHER J., 1958, « Social Influences on the Choice of a Linguistic Variant », *Word*, n° 14.

FLYDAL L., 1952, « Remarques sur certains rapports entre le style et l'état de langue », *Norsk Tidsskrift for Sprogvidenskap*, Bind XVI, pp. 241-258.

FONAGY I., 1983, *La vive voix*, Paris, Payot,
1989, « Le français change de visage ? » *Revue romane*, 24/2, pp. 225-254.

FORNEL M. de, 1983, *Le variant et l'invariant : étude de quelques phénomènes sociolinguistiques*, thèse de doctorat de l'Université de Paris-VIII.

FOUCHÉ P., 1959, *Traité de prononciation française*, Paris, Klincksieck (2e édition).

FRADIN B., 1988, « Approche des constructions à détachement, la reprise interne », *Langue française*, n° 78, 1990, « Approche des constructions à détachement. Inventaire », *Revue Romane*, 25, 1.

FRANCOIS D., 1973, « Français parlé ou français populaire », *Ethnologie française*, tome 3 (n° 3-4), pp. 265-268,
1974, *Français parlé. Analyse des unités phoniques et significatives d'un corpus recueilli dans la région parisienne*, Paris, SELAF,
1979, « L'oral, les oraux et leur grammaire », *Français dans le monde*, n° 145,
1985, « Le langage populaire », *in* Antoine G. & Martin R. (dir.), *Histoire de la langue française* 1880-1914, Paris, CNRS Éditions.

FREI H., 1929, *La grammaire des fautes*, Genève, Slatkine.

G.E.H.L.F. (dir.), 1992, *Grammaire des fautes et français non conventionnel, Actes du VIe Colloque international*, École Normale Supérieure de la rue d'Ulm.

GADET F., 1989, « La relative non standard saisie par les grammaires », *LINX*, n° 20, pp. 37-49,
1991, « Simple, le français populaire ? », *LINX*, n° 25, pp. 63-78,
1992, *Le français populaire*, Paris, PUF, coll. « Que sais-je ? »,
1995, « Les relatives non standard en français parlé : le système et l'usage », Copenhague, *Études romanes*, n° 34, pp. 141-162,
1996a, « Niveaux de langue et variation intrinsèque », *Palimpsestes*, n° 10, pp. 17-40,
1996b, « Une distinction bien fragile : oral/écrit », *TRANEL*, n° 25, Université de Neuchâtel.

GADET F. & KERLEROUX F., 1988, « Grammaire et données orales », *LINX*, n° 18.

GADET F., LÉON J. & PÊCHEUX M., 1984, « Remarques sur la stabilité d'une construction linguistique : la complétive », *LINX*, n° 10.

GADET F. & MAZIÈRE F., 1986, « Effets de langue orale », *Langages*, n° 81,
1987, « L'incroyable souplesse du strument *que* », *Français moderne*, n° 3/4,
1989, « L'oral : une voie spécifique pour faire-sens ? », *La Quadrature du sens*, Claudine Normand (dir.), Paris, PUF-Fondation Diderot.

GARDIN B. & MARCELLESI J.-B. (dir.), 1980, *Sociolinguistique, approches, théories, pratiques*, Rouen, Publications de l'Université-PUF.

GAUCHAT L., 1905, « L'unité phonétique dans le patois d'une commune », *Aus romanischen Sprachen und Literaturen*, Festschrift H. Mort, Halle, Max Niemeyer.

GENOUVRIER E., 1972, « Quelle langue parler à l'école ? Propos sur la norme du français », *Langue française*, n° 16.

GILLIÉRON J. & EDMONT E., 1902-1907, *Atlas linguistique de la France*, 7 vol. *in folio*.

GODARD D., 1989, « Français standard et non standard : les relatives », *LINX*, n° 20, pp. 51-88,
1992, « Le programme labovien et la variation syntaxique », *Langages*, n° 108, pp. 51-65.

GOFFMAN E., 1981, *Forms of Talk*, Oxford, Basil and Blackwell.

GOUGENHEIM G., MICHEA R., RIVENC P. & SAUVAGEOT A., 1964, *L'élaboration du français fondamental*, Paris, Didier.

GREEN J. & AYRES-BENNETT W., 1990, *Variation and Change in French : Essays Presented to Rebecca Posner on the Occasion of her Sixtieth Birthday*, London, Routledge.

GRESILLON A., 1984, *La règle et le monstre*, Tübingen, Niemeyer Verlag.

GUEUNIER N., 1985, « La crise du français en France », *in* J. Maurais (dir.), *La crise des langues*, Québec et Paris, Conseil de la langue française et Le Robert, pp. 5-38.

GUEUGNIER N., GENOUVRIER E. & KHOMSI A., 1978, *Les Français devant la norme*, Paris, Champion.

GUIRAUD P., 1965, *Le français populaire*, Paris, PUF, coll. « Que sais-je ? »,
1966, « Le système du relatif en français populaire », *Langages*, n° 3,
1969, « Français populaire ou français relâché », *Le Français dans le monde*, n° 69.

HARRIS M., 1978, *The Evolution of French Syntax. A Comparative Approach*, Londres et New York, Longman,
1988, « French », *in* M. Harris and N. Vincent *eds*, *The Romance Languages*, London, Routledge, pp. 209-245.

HATTIGER J-L., 1983, *Le français populaire d'Abidjan : un cas de pidginisation*, Abidjan, Publications de l'Institut de linguistique appliquée de l'Université d'Abidjan.
1991, « Simplification, complexification et français populaire d'Abidjan », *LINX*, n° 25, pp. 93-106,

HAUSMANN F-J., 1992, « L'âge du français parlé actuel : bilan d'une controverse allemande », *in* G.E.H.L.F. (dir.), pp. 355-362.

HELGORSKY F., 1973, « Henri Frei, la grammaire des fautes », *Français moderne*, 1973-1974.

HOUDEBINE A.-M., 1977, « Français régional ou français standard ? », *Studia phonetica*, n° 13,
1979a, « Pour qui, pourquoi et comment transcrire ? », *Français dans le monde*, n° 145,
1979b, « La différence sexuelle et la langue », *Langage et société*, n° 7.

JEANJEAN C., 1983, « À propos de l'utilisation des conjonctions chez les enfants », *Recherches sur le français parlé*, n° 5,
1983, « Qu'est-ce que c'est que *ça* ? », *Recherches sur le français parlé,* n° 4,
1984, « Les ratés c'est fabuleux : étude syntaxique et discursive », *LINX*, n° 10, pp. 171-177,
1985, « "Toi quand tu souris" : analyse sémantique et syntaxique d'une structure du français peu étudiée », *Recherches sur le français parlé*, n° 6.

KAYNE R., 1975, « French Relative *que* », *Recherches linguistiques*, n°s 2 et 3.

KEMP W., 1979, « L'histoire récente de *ce que, qu'est-ce que* et *qu'osque* à Montréal : trois variantes en interaction », *in* Thibault P. (dir.).

KERLEROUX F., 1984, « La langue passée par profits et pertes », *L'Empire du sociologue*, Paris, La Découverte,
1985, « Aspects utopiques d'un discours de la sociologie sur la langue », *La Linguistique fantastique*, Paris, Denoël,
1990, « Pour une analyse théorique du statut de l'écrit », *Le gré des langues*, n° 1.

KLINKENBERG J-M., 1982, « Les niveaux de langue et le filtre du "bon usage" », *Le français moderne,* n° 50, pp. 52-61.

KROCH A., 1978, « Toward a Theory of Social Dialect Variation », *Language in Society,* n° 7-1, pp. 17-36.

LABOV W., 1972a, *Language in the Inner City*, trad. fr. 1978, *Le parler ordinaire*, Paris, Éditions de Minuit,
1972b, *Sociolinguistic Patterns*, trad. fr. 1976, *Sociolinguistique*, Paris, Éditions de Minuit,
1974, « L'étude de l'anglais non standard », *Langue française*, n° 22,
1993, « Peut-on combattre l'illettrisme ? Aspects sociolinguistiques de l'inégalité des chances à l'école », *Actes de la recherche en sciences sociales,* n° 100.

LABOV W., LABOV T., 1977, « L'apprentissage de la syntaxe des interrogations », *Langue française*, n° 34.

LACOSTE M., 1978, « Interrogation, interrogatoire », *Publications du groupe Communication et Travail de l'Université de Paris Nord.*

LAFAGE S., 1993, « La côte d'Ivoire : une appropriation nationale du français ? », *in* Robillard et Beniamino (dir.),
1995, « Sur le terrain : interview par Françoise Gadet », *LINX,* n° 33.

LAKS B., 1977, « Contribution empirique à l'analyse sociodifférentielle de la chute de /r/ dans les groupes consonantiques finals », *Langue française*, n° 34,
1980, « L'unité linguistique dans le parler d'une famille », *in* Gardin B. & Marcellesi J.-B. (dir.).

LAMBRECHT K., 1981, *Topic, Antitopic and Verb Agreement in non standard French*, Amsterdam, John Benjamins,
1988, « Presentational Cleft Constructions in Spoken French », *in* Thompson S. & Haiman J. *eds*, *Clause Combining in Grammar and Discourse*, Amsterdam/Philadelphia, John Benjamins Publishing Company.

LAPARRA M., 1982, « Sélection thématique et cohérence du discours à l'oral », *Français moderne*, n° 3.

LAVANDERA B., 1978, « Where Does the Sociolinguistic Variable Stop ? », *Language in society*, n° 7.

LEEMAN-BOUIX D., 1994, *Les fautes de français existent-elles ?*, Paris, Le Seuil.

LEFÈBVRE C., 1982, « Qui qui vient ? ou qui vient ? : voilà la question », *in* Lefèbvre C. (dir.),
1982, (dir.) *La syntaxe comparée du français standard et populaire : approches formelle et fonctionnelle*, 2 tomes, Québec, Office de la langue française,
1983, « Les notions de style », *in* Bédard E. & Maurais J. (dir.), 1983, pp. 305-334.

LE GUERN M. & PUECH G., 1983, *Principes de grammaire polylectale,* Lyon, Presses universitaires.

LENNIG M., 1979, « Une étude quantitative du changement linguistique dans le système vocalique parisien », *in* Thibault P. (dir.).

LENTIN L., 1973, *Apprendre à parler à l'enfant de moins de six ans*, Paris, ESF.

LÉON P., 1966a, *La prononciation du français standard*, Paris, Didier,
1966b, « Apparition, maintien et chute du e caduc », *La Linguistique*, 1966-II,
1970, « Aspects phonostylistiques de l'articulation et des éléments prosodiques dans le français parlé », *Français dans le monde*, n° 76,
1992, *Phonétisme et prononciation du français*, Paris, Nathan.

LEROND A. (dir.), 1973, « Les parlers régionaux », *Langue française*, n° 18.

LEROY C., 1985, « La notation de l'oral », *Langue française*, n° 65.

LINDENFELD J., 1969, « The Social Conditioning of Syntactic Variation in French », *American Anthropologist*, vol. 71, n° 5.

LODGE R.A., 1997, *Le français. Histoire d'un dialecte devenu langue*, Paris, Fayard.

LUCCI V., 1983a, *Étude phonétique du français contemporain à travers la variation situationnelle*, Grenoble, Publications de l'Université des langues et lettres,
1983b, « Prosodie, phonologie et variation en français contemporain", *Langue française*, n° 60, pp. 73-84.

LUZZATI D., 1983a, *Recherches sur la structure du discours oral spontané*, thèse de IIIe cycle, Université de Paris-III.

LUZZATI F. & LUZZATI D., 1986, « Oral et familier », *l'information grammaticale* n° 28 (5-10), n° 30 (23-28) et n° 34 (15-21).

MAILLARD M., 1989, *Comment ça fonctionne. Le fonctionnement de « ça » dans le français contemporain*, Thèse d'État, Université de Paris-X.

MANESSY G., 1985, « Français, créoles français, français régionaux », *Bulletin du Centre d'Étude des Plurilinguismes*, n° 7-8, republ. *in Le français en Afrique noire, Mythes et stratégies pratiques*, Paris, L'Harmattan, pp. 167-185.

MARTINET A., 1945, *La prononciation du français contemporain*, Genève-Paris, Droz,
1955, *Économie des changements phonétiques*, Bern, Francke,
1969, *Le français sans fard*, Paris, PUF-SUP,
1988, « Stabilité et instabilité du français », *le Français moderne*, n° 56, pp. 219-222,
1990, « Remarques sur la variété des usages dans la phonie du français », *in* Green J. & Ayres-Bennett W. (dir.), pp. 13-26.

MARTINET A. & WALTER H., 1973, *Dictionnaire de la prononciation française dans son usage réel*, Paris, France-Expansion.

MARTINON P., 1913, *Comment on prononce le français*, Paris, Larousse,
1927, *Comment on parle en français*, Paris, Larousse.

MARTY F., 1971, « Les formes du verbe en français parlé », *in* Rigaud (dir.).

MAZIÈRE F., 1979, « Un texte oral en situation scolaire : le compte rendu de lecture, ou un discours oral sur un écrit », *BREF*,
1988, « Oralité, politique de la langue et littérature », LINX, n° 18,
1993, « L'oral orthographié ou le festin des restes », *Le français aujourd'hui*, n° 101, pp. 59-62.

MESCHONNIC H., 1982, « Qu'entendez-vous par oralité ? », *Langue française*, n° 56.

METTAS O., 1970, « Étude sur le A dans deux sociolectes parisiens », *Revue romane*, tome V, fasc. 1,
1979, *La prononciation parisienne. Aspects phonétiques d'un sociolecte parisien*, Paris, SELAF.

MILNER J.-C., 1973, *Arguments linguistiques*, Paris, Mame.

MOREAU M-L., 1971, « L'homme que je crois qui est venu — *qui, que* relatifs et conjonctions », *Langue française*, n° 11,
1977, « Français oral et français écrit : deux langues différentes ? », *Français moderne*, n° 45-3.
1986, « Les séquences préformées entre les combinaisons libres et les idiomatismes. Le cas de la négation avec ou sans *ne », Le français moderne*, n° 54,

MOREL M-A., 1985, « L'oral du débat », *Langue française*, n° 65.
1992 a, « L'opposition thème/rhème dans la structuration des dialogues oraux », *Journal of French Language Studies*, vol. 2, n° 1, pp. 61-74,
1992b, « Intonation et thématisation », *L'information grammaticale*, n° 54, pp. 26-35.

MORIN Y-Ch., 1979, « La morphophonologie des pronoms clitiques en français populaire », *Cahiers de linguistique*, n° 9, pp. 1-36.

MOUGEON F., 1995, *Quel français parler ? Initiation au français parlé au Canada et en France*, Toronto, Éditions du GREF.

MÜLLER B., 1985, *Le français d'aujourd'hui*, Paris, Klincksieck.

PAQUETTE J-M., 1983, « Procès de normalisation et niveaux/registres de langue », *in* Bédard E. & Maurais J. (dir.), pp. 367-381.

POHL J., 1965, « Observations sur les formes d'interrogation dans la langue parlée et dans la langue écrite non littéraire », *Actes du Xe Congrès international de linguistique et de philologie romane*, Klincksieck,

1966, « Remarques sur l'économie de la conjugaison française », *Français dans le monde*, n° 45,
1975, « L'omission de *ne* dans le français contemporain », *Français dans le monde*, n° 111.

POIRIER C. 1987, « Le français "régional", méthodologies et terminologies », *in* Niederehe & Wolf (dir.) *Français du Canada, français de France*, Tübingen, Niemeyer, pp. 139-176.

PRÜSSMANN-ZEMPER H., 1986, *Entwicklungstendenzen und Sprachwandel im Neufranzösischen*, Inaugural Dissertation zur Erlangung der Doktorwürde der Philosophischen Fakultät der Rheinischen Freidrich-Wilhelmus-Universität zu Bonn.

QUEMADA B., 1976, « L'évolution du français » , *in* Blancpain M. & Reboullet A. (dir.), *Une langue, le français*, Paris, Hachette, pp. 30-49.

QUENEAU R., 1950-1965, « Connaissez-vous le chinook ? », *in Bâtons, chiffres et lettres*, Paris, Gallimard.

REICHLER-BEGUELIN M-J., 1993, « Faits déviants et tri des observables", *BULAG/TRANEL*, n° 20, pp. 89-109.

REICHSTEIN R., 1960, « Étude des variations sociales et géographiques des faits linguistiques », *Word*, n° 16, pp. 55-99.

REY A., 1972, « Usages, jugements et prescriptions linguistiques », *Langue française*, n° 16.

RIGAUD A. (dir.), 1971, *Grammaire du français parlé*, Paris, Hachette.

ROBILLARD D. de & BENIAMINO M. (dir.), 1993, *Le français dans l'espace francophone*, Paris, Champion.

SANDERS C., 1993, « Sociosituational Variation », *in* Sanders *ed*, *French Today : Language in its Social Context*, Cambridge University Press, pp. 27-53.

SANKOFF G., 1980, *The Social Life of Language*, Philadelphie, University of Pennsylvania Press.

SANKOFF G. & THIBAULT P., 1977, « L'alternance entre les auxiliaires *avoir* et *être* en français parlé à Montréal », *Langue française*, n° 34.

SANKOFF G. & VINCENT D., 1977, « L'emploi productif du *ne* dans le français parlé à Montréal », *Français moderne*, n° 45.

SAUVAGEOT A., 1962, *Français écrit, français parlé*, Paris, Larousse,
1967, « Le rendement des oppositions vocaliques en français contemporain », *Français dans le monde*, n° 49,
1972, *Analyse du français parlé*, Paris, Hachette,
1978, *Français d'hier ou français de demain ?*, Paris, Nathan.

SÖLL L., 1983, « L'interrogation directe dans un corpus de langage enfantin », *in* Hausmann, 1983.

STOURDZÉ C. & COLLET-HASSAN M., 1969, « Les niveaux de langue », *Le français dans le monde*, n° 69, pp. 18-21.

STRAKA G., 1952, « La prononciation parisienne », *Bulletin de la Faculté des lettres de Strasbourg*, t. 30, n° 5 et 6,
1977, « Où en sont les études de français régionaux ? » *in Le français en contact*, CILF, pp. 111-126.

TERRY R., 1967, « The Frequency of Use of the Interrogative Formula *est-ce que ?* », *French Review*, XL,
1970, « *Faut-il ?* or *est-ce qu'il faut ?* Inversion vs *est-ce que ?* », *French Review*, XLIII.

THIBAULT P. (dir.), 1979, *Le français parlé, études sociolinguistiques*, Alberta, Canada, Edmonton,
1991, « La langue en mouvement : simplification, régularisation, restructuration », *LINX*, n° 25.

THIBAULT P. & VINCENT D., 1988, « La transcription ou la standardisation des productions orales », *LINX*, n° 18.

TUAILLON G., 1975, « Analyse syntaxique d'une carte linguistique : « Où vas-tu ? », *Revue de linguistique romane*, n° 153-154,
1983, « Régionalismes grammaticaux », *Recherches sur le français parlé*, n° 5,
1988, « Le français régional », *in* Vermès G. (dir.), *Vingt-cinq communautés linguistiques de la France*, Paris, L'Harmattan.

VALDMAN A., 1982, « Français standard et français populaire : sociolectes ou fiction ? », *French Review*, vol. 56, n° 2, pp. 213-227.

VALLI A., 1981, « Note sur les constructions dites "pseudo-clivées" en français », *Recherches sur le français parlé*, n° 3,
1983, « Un exemple d'approche du problème des variantes syntaxiques en linguistique diachronique », *Recherches sur le français parlé*, n° 5,
1988, « À propos de changements dans le système du relatif : état de la question en moyen français », *Recherches sur le français parlé*, n° 8.

VENDRYÈS J., 1920, *Le langage*, Paris, Albin Michel.

VERMÈS G. & BOUTET J., (dir.), 1987, *France, pays multilingue*, Paris, L'Harmattan.

VIGNEAULT-ROUAYRENC C., 1991, « L'oral dans l'écrit : histoire(s) d'E », *Langue française*, n° 89.

VINCENT D., 1981, « À quoi servent les mots qui ne servent à rien », *Culture*, I (2), Montréal,
1986, « Que fait la sociolinguistique avec l'analyse du discours et *vice versa* », *Langage et société*, n° 38.

WALKER D., 1985, « La chute du /l/ en français du Canada », Aix-en-Provence, *Actes du XVIIe Congrès international de linguistique et philologie romanes.*

WALTER H., 1983, « La nasale vélaire [ng], un phonème du français ? », *Langue française*, n° 60, pp. 14-29,
1988, *Le français dans tous les sens*, Paris, Robert Laffont.

WARTBURG W. von et ZUMTHOR P., 1958, *Précis de syntaxe du français contemporain*, Berne, Francke.

WILLEMS D., 1990, « Principes de description », *in* Blanche-Benveniste *et al.*

ZRIBI-HERTZ A., 1984, « Prépositions orphelines et pronoms nuls », *Recherches linguistiques*, n° 12,
1988, « L'oral, la syntaxe et l'astérisque : questions méthodologiques, avec et sans réponse », *LINX*, n° 18.

Sources des exemples

Corpus oraux transcrits

— Conversations ordinaires : enregistrements domestiques de petits déjeuners.

— Oral naturel : 23 enregistrements d'eux-mêmes effectués par des étudiants, en situation familière.

— Conversations téléphoniques ordinaires, dans trois ménages différents (corpus Bernard Conein et Louis Quéré).

— Enregistrements personnels, faits par des sociologues : Mme S et Mme P (cité de transit — corpus Claude Liscia) ; victimes racontant une agression (corpus Renaud Dulong).

— Récits de vie quotidienne enregistrés.

— Un cours en amphithéâtre (FG, avec 200 étudiants).

— Notations de hasard dans des lieux publics (relevées par écrit).

— Deux émissions *Apostrophes*, de Bernard Pivot.

— Un débat télévisé : *Droit de réponse* de Michel Polac.

— Cassettes : *Les français des Français* (CREDIF) et *Les Accents des Français* (Carton et coll.).

Corpus littéraire
(à titre complémentaire)

AJAR Émile, *La Vie devant soi.*
CÉLINE *Louis-Ferdinand, Mort à crédit.*
GIONO *Jean, Un de Baumugues — Regain.*
PERGAUD *Louis, La Guerre des boutons.*
QUENEAU *Raymond, Zazie dans le métro — Les Fleurs bleues.*
RENAUD, *Mistral gagnant.*
RICTUS, poèmes.
Astérix (bande dessinée : *le Devin*).
Kebra (bande dessinée : *Kebra chope les boules*).
Jack Palmer (bande dessinée).
San Antonio.

Table des matières

Photocomposition : NORD COMPO
59650 Villeneuve-d'Ascq

Masson & Armand Colin Éditeurs
34 bis, rue de l'Université, 75007 Paris
N° 1615/1
Dépôt légal : septembre 1997

Achevé d'imprimer sur les presses de la
SNEL S.A.
Rue Saint-Vincent 12 - 4020 Liège
Tél. 32(0)41 43 76 91 - Fax 32(0)41 43 77 50
septembre 1997 - 8232